「ロッチと子羊」で学ぶ

# 中高生のための哲学入門

## 君のお悩み、哲学プラクティスで解決します。

小川仁志・「ロッチと子羊」NHK制作班（著）

ミネルヴァ書房

ロッチの二人が悩める人々を救う
相談番組『ロッチと子羊』が、
今度は書籍で、中高生のお悩みを解決！

解決のヒントをくれるのは、世界の有名哲学者。
え〜っ？哲学なんて聞きたくない？
それもったいなさすぎ。

だって哲学者は生涯かけて悩み続けた
悩みのプロフェッショナル。
あなたのお悩みをきっと軽くしてくれるはず。

そんな哲学者たちの考えを伝授してくれるのが
山口大学の小川仁志教授。

さあ、どんなお役立ち哲学が飛び出しますか。
それではいってみましょう。
Here we go!

# はじめに——中高生にとって「哲学」って何だろう？

本書を手に取っていただいている皆さんは、中高生でしょうか？　だとすると、きっと何かに悩んでいるのではないでしょうか？　これは中高生に限った話ではないですが、哲学が気になるというのは、何かに悩んでいる証拠だと思うのです。実は私もそうやって哲学の扉を叩きました。中高生の頃にではなく、もう三〇歳近くになってからです。

自分がやりたいことと、その当時の自分の力不足とのギャップに悩み、私は二〇代後半をひきこもりのように過ごしました。そんな時、何かにすがるかのごとく、哲学の門を叩いたのです。といっても、最初は哲学の入門書を読んだ程度です。でも、そのおかげで哲学という学問に出逢うことができました。おそらく人生が順風満帆に進んでいたら、哲学に出逢うこともなかったかもしれません。それはそれで幸せなのかもしれませんが、哲学を知った今思うと、それはとてももったいないことだと感じます。こんなに面白い学問なのに！

ちなみに、私も中高生の頃、悩みがなかったわけではありません。むしろかなり悩んでいたのですが、残念ながらその時は哲学という学問があることを知らなかったのです。『ロッチと子羊』なんていう哲学番組はなかったですから。そのせいで相当苦

しみました。たしかに高校生の時に「倫理」は少し勉強しましたが、そこで哲学という学問を意識することはあまりなかったように思います。歴史と同じで、知識を暗記するだけの科目だと思っていたのです。今も多くの高校生がそう思っているのではないでしょうか。

そんな個人的な経験もあって、今回本書を執筆するに至りました。ぜひ中高生の皆さんに、哲学という学問があって、それが人生の悩みの解決に役立つということを伝えたかったのです。もともと私は本書の姉妹本となる『中高生のための哲学入門――「大人」になる君へ』（ミネルヴァ書房）という本を出していました。そこでは哲学とは何かとか、哲学をどう人生に生かせばいいかといったことを割と詳しめに論じています。

その中で多くの読者の方から「良かった」といっていただいたのは、本当の意味で考えるとは、「環返る」ことだと書いた箇所です。私たちはつい忙しさから、物事を当たり前のものだと見過ごしてしまっていますが、本当は当たり前のことなどないのです。どんな物事も色んな側面があって、私たちの知らないことだらけなのです。それを発見するためには、何か少しでも気になったことについては、その周りをグルグル回るかのように観察し、こだわる必要があるのです。それが回ることを意味する「環」の字の意味です。さらに、少しでも気になったことは、振り返って、立ち返って、こだわる必要があると思います。それが「返る」という部分の意味するところです。だから「環返る」と表現したわけです。

『中高生のための哲学入門――「大人」になる君へ』（ミネルヴァ書房、二〇二一年）。

こういうことをたくさん書いたのですが、ただ、より具体的に様々な悩みにどう向き合っていけばいいのかについてはあまり展開できていませんでした。

そんな時ふと気づいたのが、ＮＨＫ Ｅテレで私が指南役を務めている『ロッチと子羊』という番組の内容がそのまま役に立つのではないかということでした。この番組は基本的に大人の悩み相談になっていますが、それらのほとんどが中高生の悩みにも置き換えることのできるものだったからです。考えてみれば、人間の悩みというのは、年齢や性別を超えて、もっというなら洋の東西を問わず、時代を超えて共通するものがあります。いつの時代も人は、勉強や仕事、愛や人間関係に悩んできたのです。だから中高生の皆さんにも当てはまると思いました。

しかもこの番組はロッチさんの司会のおかげで、とても楽しく、わかりやすい内容になっています。そこでなんとかこの切り口を応用できないかと思ったわけです。そうしてロッチさんをはじめ、ＮＨＫの番組制作班の皆さんと一緒に、「哲学プラクティス」（番組内でやっている哲学の実践）を中心にして、番組を中高生向けの書籍に応用するプロジェクトに取り組みました。

その結果、ロッチさんと私の鼎談《ていだん》に始まり、具体的なお悩みを「哲学プラクティス」で解決していくというとてもユニークな本が出来上がりました。勉強や部活、そして人間関係など、誰もがぶつかる一五のお悩みを次のような構成で取り上げています。
①お悩み紹介、②迷える君にお役立ち哲学（哲学者の言葉の紹介など）、③解説、④君のための哲学プラクティス、⑤君のためのワーク。特に「君のためのワーク」で

哲学プラクティス

は、例題に加え、実際に読者の皆さんが自分自身の悩みに置き換えて考えてもらうための問いかけをしているので、ぜひ自分でも哲学プラクティスしてもらえるといいなと思います。

鼎談でもロッチさんがおっしゃっていましたが、哲学というのは視点を変えて世界を見直すことだといっても過言ではありません。中高生の頃は自分の身の回りの世界に囚われがちです。そのせいで、視野が狭くなって、容易に解決できる問題も過大視してしまいます。これは私の経験からもいえることです。ぜひ哲学を使って、そんな囚われから自由になっていただければと思います。そのために本書が少しでもお役に立てば幸いです。

小川仁志

小川仁志
山口大学国際総合科学部教授。

# 目次



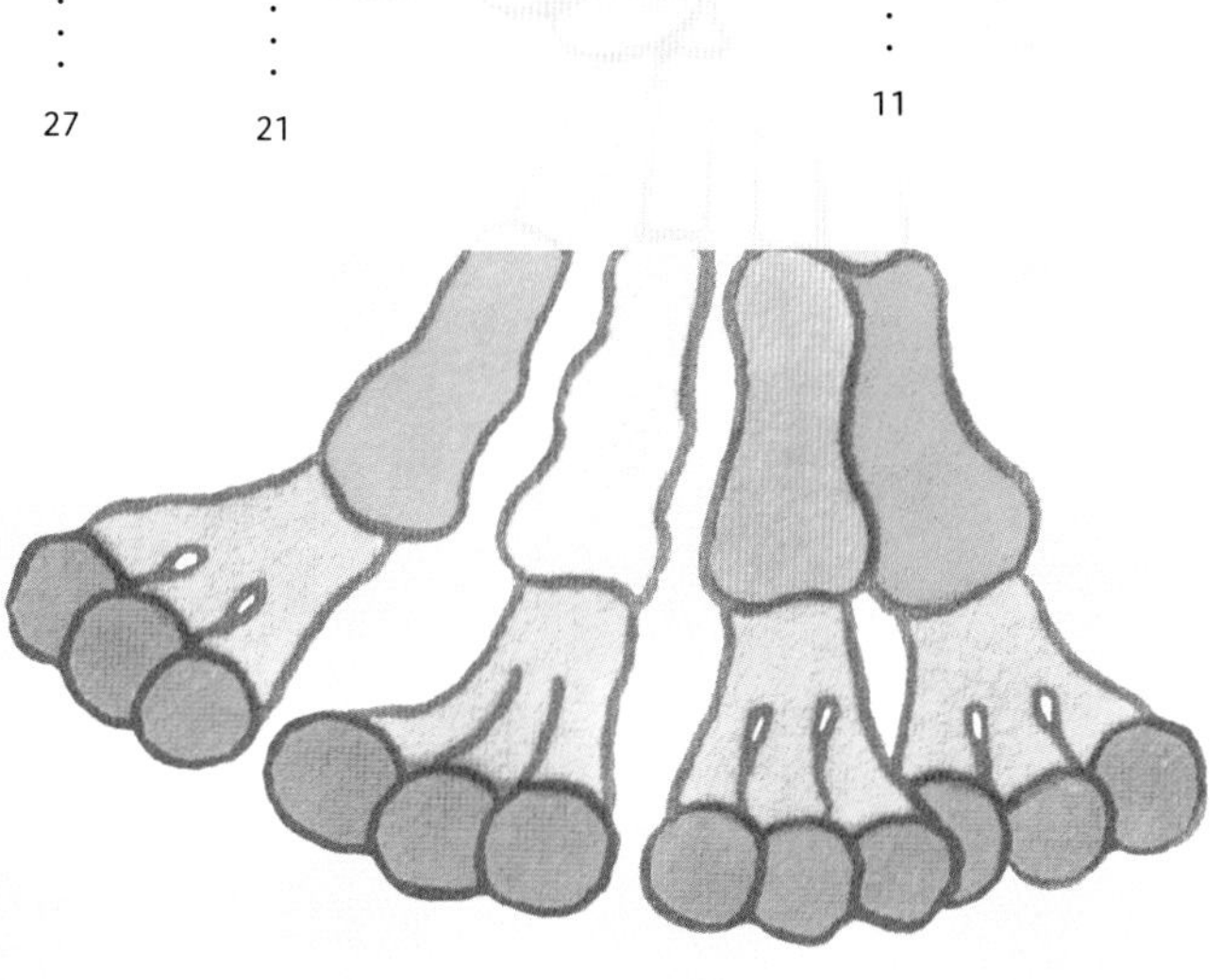

## 第Ⅱ章　部活動や勉強のお悩み

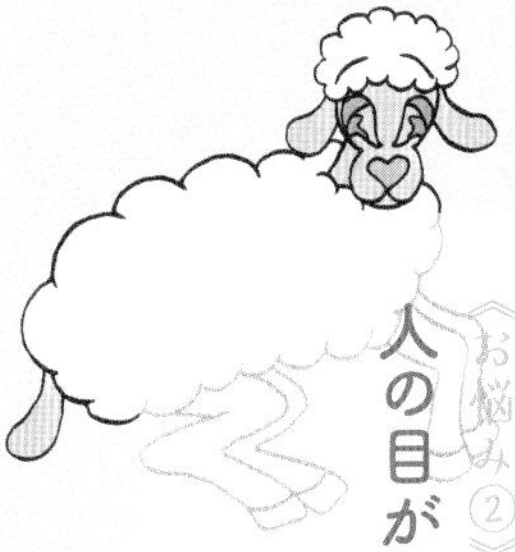

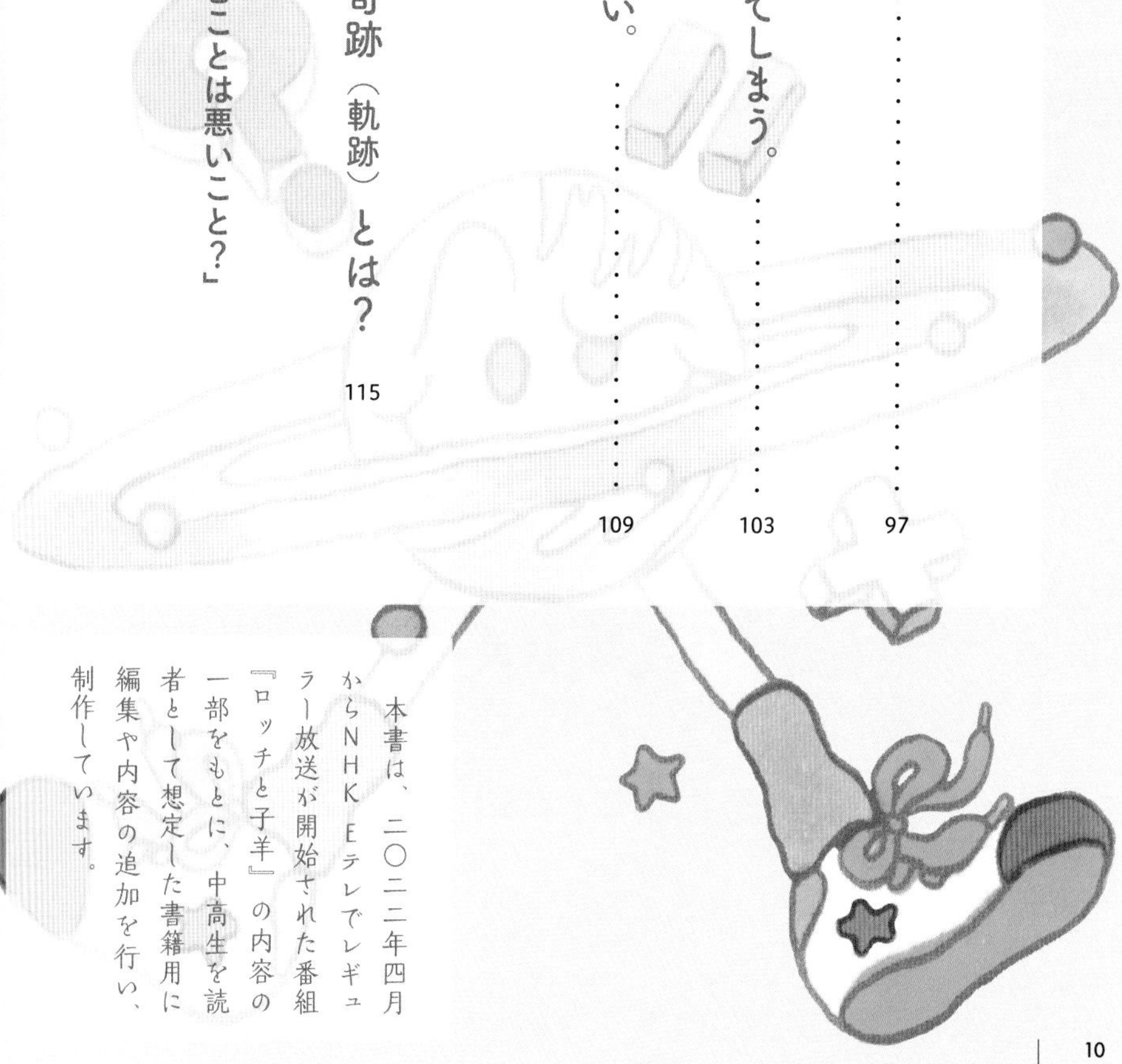

本書は、二〇二二年四月からＮＨＫ Ｅテレでレギュラー放送が開始された番組『ロッチと子羊』の内容の一部をもとに、中高生を読者として想定した書籍用に編集や内容の追加を行い、制作しています。

# 巻頭スペシャル鼎談「哲学は楽しい！」

## ロッチ（コカドケンタロウ・中岡創一）×小川仁志

迷える君に哲学を！

優しさにあふれるロッチのお二人と、「哲学の扉」を飛び出した小川先生が、番組の魅力や哲学の面白さについて、たっぷり語りました。
コカドさんは、番組を通して、自分の新たな引き出しを発見！「哲学で人生を豊かにできる」と話します。
一方の中岡さんは、子羊さんがパッと笑顔になる人気コーナー「哲学プラクティス」をイチオシ！「哲学は楽しい！」と語る、その心は？

「哲学プラクティス」で笑顔になろう！

そんな考え方ができるんや。

哲学にはヒントがつまっている。

「良い番組をやっているね」

見方が変われば、悩みも違って見える。

小川　「ロッチと子羊」は、二〇二二年四月にレギュラー放送がスタートしました。哲学にふれたことで、何か変わりましたか。

コカド　僕はちょうど哲学に興味を持って、勉強したいと思っていたときに、番組が始まるお話をいただきました。だから、めっちゃ嬉しくて。自分自身が変わりたいと願っていた時期だったのかもしれません。

小川　実際、変わりましたか？

コカド　変わりましたね。ニーチェとかも勉強してこなかったから、末人と超人の話（＊1）が心にすごく刺さりました。番組に出演するたびに、「そんな考え方ができるんや」って気がついて、気持ちが楽になっているところがあります。

小川　子羊さんのお悩みに、自分を重ねて、悩みを解決しているのかもしれませんね。中岡さんはどうですか？

中岡　僕はいつも楽しく、授業を受けているような気持ちです。

小川　そうおっしゃっていただけると嬉しいです。哲学自体が堅いイメージを持たれがちですし、さらに教育番組だから授業と思われる。しかも、先生と言われる人も出演していますから。

コカド　でも、実際の内容は哲学が面白くって、授業と言っても楽しい対話。そして、

**コカドケンタロウ**
一九七八年、大阪府生まれ。趣味はミシンでハンドメイド（Instagramに作品UP中）、サーフィン、サウナ、散歩、古着など。

**中岡創一**
一九七七年、奈良県生まれ。趣味は野球観戦、フィールドホッケー、沖縄旅行など。

先生は襟足が長い。校則違反の先生です（笑）。

中岡　番組の途中で、子羊さんの表情がパッと変わる瞬間が好きですね。でも、僕自身は……変わったのかなぁ。

## 印象に残っている哲学者について

中岡　もともと悩みがないのかも。怠け者ですし。

コカド　でも、五回に一回ぐらい、子羊さんより、中岡くんの方が「う～ん」と唸って、納得していることがあるよね。

中岡　そのせいかな？　周りから「良い番組をやっているね」って言われるんですよ。たまに、「あの先生、明るすぎない？」って声をかけられます（笑）。

小川　親しんでもらえて、嬉しいです（笑）。先ほど、コカドさんからニーチェの話が出ましたが、中岡さんは印象に残っている哲学者はいますか。

中岡　ガルトゥング！（＊2）　あの人、めっちゃいい人ですやん。

小川　お互いに利益を超えた思いを探すと、共通のものが見つかる。そうすると、争わなくてよいことに気がつくという哲学でした。

中岡　あと、「いき」の人、九鬼周造さんも良かった。

小川　本書にも、「関係性のお悩みプロフェッショナル」として登場しますよ！（＊3）

＊1　ニーチェ（一八四四―一九〇〇）の末人と超人については一八頁参照。

＊2　ガルトゥング（一九三〇―）については一八頁参照。

＊3　九鬼周造（一八八八―一九四一）については二一～二五頁参照。

## 「哲学プラクティス」で笑顔になろう

中岡　僕たちは元々、コントのなかに「いき」なセリフを入れていました。特に意識せず、自然にそうしていましたが、「いき」の考え方を知ってから、「いき」なセリフを設定してみると、また僕ら自身やコント自体が変わってくる気がします。

小川　そうですね。頭で理解していても、実際にやってみないと分からないことってありますから。それが、「哲学プラクティス」です。

中岡　番組のなかで、小川先生が子羊さんに哲学を説明して、そしてもう一押しすると、子羊さんたちの表情が本当にパッと変わるんです。

小川　ロッチさんと私とで、子羊さんの後押しをするかたちで、ご自身に気づいてもらうためのヒントを出します。そのあと、実際に一度、プラクティス、つまり体験してもらっていますよね。いわば、「する哲学」です。

中岡　子羊さんが「哲学プラクティス」を楽しんでくれた回はとても印象に残っています。いつも、どうやったら子羊さんの気持ちに響かせることができるかなって考えながら、誘導しています。子羊さんの表情が変わって、笑顔になると嬉しいですから。番組と同じく、この本でも子羊さんたちに「哲学プラクティス」を楽しんでもらいたいですね。

小川　ロッチのお二人のおかげで、「悩みを告白しやすい」という声をよく聞きます。

『ロッチと子羊』の素晴らしい特徴です。

コカド　本のなかの「哲学プラクティス」でも、僕たちがそばにいますよ！

## 哲学や人生を考える扉に

小川　さて、ここでロッチのお二人に質問です。もしも中高生の頃に、『ロッチと子羊』が放送されていて、実際に観ていたとしたら、どんな気持ちになったでしょう？

中岡　まず入口としては、「悩みなんか解決できるわけないだろ〜な〜」って言うと思います。それから、だんだん、「そういう考え方あるんだ。ふーん」「まぁ、なんとなく聞いたことあるか」「……あれ？　そうなるの⁉」になって、それから「あっ、すごいな！」になって、最終的には「楽しかった」「来週も見てみよう！」という気持ちになったと思います。

コカド　僕は毎回、すごく心に刺さっていたと思いますね。悩みも多いですが、一番吸収しやすい時期ですから。

中岡　中高生の頃って、どうでもいい悩みを抱えがちだけど、考え方一つで、「あ、大丈夫や」って思えるようにもなるんですよね。中高生の頃に、『ロッチと子羊』を観ていたら、こんな髪型にならなかったかもしれない（笑）。

小川　番組では哲学という難しいものを、ロッチさんが面白く伝えてくださる。本書もそうですすよね。「哲学の本って、難しそう」という印象があるかもしれませんが、

いつも子羊さんに寄り添うロッチさんが一緒に作ってくださっている本ですから。

コカド　ＡＺＹちゃんの絵も素敵です！（＊４）　本の世界観もポップになっているから、まずは手に取ってもらえたら。そんなに難しくないと思いますよ。

小川　まさに、哲学や人生を考える扉にしてもらいたいですね。

## 子羊さんたちへのメッセージ

小川　番組を通して、多くの子羊さんたちに、人生のアドバイスをされてきたロッチさん。では、最後に本書の読者である中高生にメッセージを。

コカド　自分にとって何が気持ちいいか、自分が何を一番楽しいと感じるかを、ちゃんと自分で知って欲しいですね。「人がこう言っているから」ではなくて、自分が本当に好きなことは何かということを見つめて欲しい。哲学には、それを知るためのヒントがたくさんつまっていると思います。哲学で人生を豊かにできる気がします。

小川　番組でも、本書でも、様々なものの見方を紹介しています。若い世代は、人生経験も少ないから、ものの見方が一面的になりがちですし、それに囚われて、苦しんでいることも少なくないですよね。だから、「こういう見方があるよ」「こっちからも見てみたら」とか、いろいろな発見をしていけば、自分が好きなものが何かも分かって、悩みの解決にも結びつくと思います。

＊４
ＡＺＹ（あじー）／Illustrator
一九九二年、東京生まれ。二〇一五年、University of Brighton Illustration BA (Hons) 卒業。濃厚なイギリスでの美大生生活を終え、帰国後イラストレーターとしての活動を開始。独自の哲学を相棒にドリーミーでハッピーな二一世紀ロマンスを創造する日々！　加えてイベント主催、ウェブライター、クラウドファンディング企画、アートチューター等イラストレーターの枠に限らず、マルチに自由気ままに活動中。ＮＨＫ Ｅテレ『ロッチと子羊』のイラストを担当。

中岡　中高生の頃は、「悩むな」と言ったって、どうせ悩むし、悩みを完璧に解決できるかっていうと、完璧に解決できるわけでもない。でも、ヒントはたくさんあります。是非、「哲学プラクティス」で、哲学を楽しんでみて欲しいです。

小川　「どうせ悩む」。そうですよね、人間って。

中岡　お悩みを解決する方法が分かっていくと楽しいですよ。それを味わって欲しいです。

小川　「哲学は楽しい」ってことですか。

中岡　楽しいです。世界の見方が変わりますから。

小川　私もいつもそう思っています。ものの見方や世界の見方、これまで当たり前だと思っていたことを、ちょっと違ったふうに見ることができるのが哲学の面白いところです。これは、悩みごとにも当てはまります。世界の見方が一面的だから悩んでしまう。でも、哲学によって見方が変われば、悩みも違って見えるようになって、解決することがある。

コカド　中岡くんが言った通り、哲学を使って、世の中の見方を変えて、ワクワクして欲しいですね。この本を読んだ子羊さんに、「あっ、世の中って、こんなふうに面白い見方ができるんだ」って感じてもらえたら嬉しいです。

〈了〉

巻頭スペシャル鼎談は、二〇二三年九月一五日（金）に「赤坂 RED/THEATER」で行われました。

## 小川先生解説！ ニーチェとガルトゥングについて

### ● フリードリヒ・ニーチェ ●

19世紀のドイツで活躍した哲学者で､｢末人｣と｢超人｣という有名なキーワードが知られています。

「末人」は他人に自分の価値を委ねる人のことで、「超人」は自分の価値を自分で作る、つまり自分軸で生きる人のことです。ニーチェは、「人間に生まれたからには、自分の価値を自分で作り上げるという強い意志を持って歩んで欲しい」と考えました。

もちろん、すぐに超人にはなれません。でも、超人を目指すことで、人は少しずつ変わっていくのではないでしょうか。

### ● ヨハン・ガルトゥング ●

個人的な平和のお悩みから世界的な平和のお悩みまで、すべてを解決できる哲学者が､ノルウェー出身のガルトゥングです。平和学の第一人者で、平和学の父とも呼ばれています。

実際に、200以上の国家間、あるいは宗教間の紛争を調停したという経験を持っています。そんなガルトゥングの哲学を要約すると、「全ての争いは同じ仕組みで起こります。平和のために必要なことは、目的を超越することです｣。

1941年から3度の戦争を引き起こした南米・エクアドルとペルーの国境紛争で、ガルトゥングは調停役を務めました。ガルトゥングが両国に目的を聞くと「国を狭くする国境線は引きたくない｣。そこで、ガルトゥングは国境線を引かずに、その地域を「自然公園」という二国間ゾーンにすることを提案しました。その結果、両国はなんと1998年に平和条約を結びました。つまり、国境線を引くという当初の目的を超越して、国土を狭くしたくないという両者の共通の新たな目的を見つけたと言ってもいいかもしれません。

# 第Ⅰ章　友だちのお悩み

友だちのお悩み①

# 親友との距離に悩んでしまう。

私には親友がいますが、その親友がほかの人と遊んでいると、嫉妬してしまいます。

結果、親友から、「ウザい」と言われてしまいました。

親友と良い関係でいるためには、どうしたらいいでしょうか。

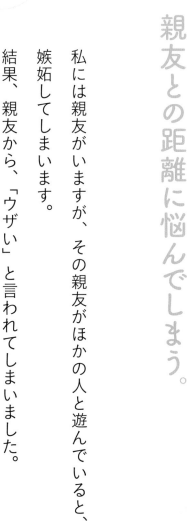

お答えします！

# 親友と良い関係になるための哲学

迷える君にお役立ち

お互い、嫌いじゃないんだけど、気持ちの両立がなかなか難しいですよね。

そんなお悩みにぴったりの哲学者を紹介したいと思います。昭和の初期に活躍した日本の哲学者・九鬼周造です。日本独自の「いき」という概念を応用して、上手くいく人間関係を考え抜きました。「関係性のスペシャリスト」と言っても、過言ではありません。

九鬼の哲学を要約すると、こんな感じです。「良い関係を続けるのに一心同体を目指す必要はありません。絆を深めるには『いき』が大切なのです」。

親友と「仲良くやっていきたい」と思うことは自然のことと思いますが、だからと言って、「一心同体を目指す必要はない」と九鬼は言っています。

では、「いき」とはどういう意味でしょうか。そもそも九鬼が「いき」を研究したのはヨーロッパに留学していたときに気がついた「西洋」と「日本」の表現方法の違いからでした。

たとえば、お祝い事の場合、西洋だと祝うなら祝う、祝わないなら祝わない。つまり、曖昧な表現はせず、白黒ハッキリさせる文化です。

一方、日本は、「おめでと～」と言うでもなく、そうかといって思いを伝えないわけでもない。白か黒かではなく、どっちつかずの曖昧な表現を良しとする文化です。この感覚こそが「いき」。日本人独自のものなのです。

しかし、これは決して妥協のような、ネガティブなものではありません。「いき」を人間関係に用いると、魅力が「増し増し」になるんです！

いったいどういうことなのか？　もう少し詳しく解説しましょう。

# 親友との距離に悩んだら？

**良い関係を続けるためには**
**一心同体を目指す必要はありません。**
**絆を深めるには、「いき」が大切です。**

**九鬼周造**（くき・しゅうぞう）（1888-1941）

西田幾多郎によって京都大学に招聘。足かけ８年にも及ぶヨーロッパ留学を経て、「いき」をはじめ、日本独自の概念について研究しました。

## 「いき」な友だち関係を目指そう

「いき」な関係とは、魅力が「増し増し」になる、ポジティブで豊かな関係性のことだと言っていいでしょう。単なる中間ではなく、絶妙ないい塩梅。「いききらないのが『いき』」なのです。

もともと九鬼周造は、芸者と客の関係性から「いき」の着想を得ました。客がいつでも、どこでも、芸者に会えるようになってしまったら、燃えていた思いもなくなるかもしれません。絶妙な関係の方が、ずっと好きでいられる。「いき」な関係とは、敢えて距離を置くことで思い続ける関係なのです。

### 「いき」の構造

九鬼は、「媚態《びたい》」「意気地」、そして「諦め」を「いき」の要素として挙げました。

一つめの「媚態」とは、「惹きつけ」のことです。客が惹きつけられているのは、芸者の「芸や艶やかさ」であり、芸者が惹きつけられているのは、客の「可愛がってくれて、御座敷に呼んでくれる優しさ」などです。

二つめの「意気地」とは、「痩せ我慢」のことです。芸者の「意気地」とは、「あっ、

あの旦那が来たわ。でも毎回会っちゃダメ。だって、私がゾッコンだと思われるのは癪だもの。今日は会わないでおくわ」。一方、客の意気地は、「もう時間かぁ。やっと会えたんだから、あと一時間……。いや、それじゃあ、俺がのぼせ上がってると思われるな……。今日はこのあたりで帰ろう」。しかし、これでは思いが強まる良さがある反面、辛さは残り、良い関係性の継続は難しそうです。

## 「諦め」がより深い関係を築く

そこで、継続性を持たせるために必要になるのが、三つめの「諦め」です。「諦め」というと普通は消極的な意味合いに聞こえますが、九鬼の「諦め」は逆です。愛情を持って、相手を認めてあげること、これが「諦め」であり、「執着しないこと」なのです。「諦め」をポジティブで、豊かにするポイントは「しょうがないなぁ」という言葉をつけることです。芸者からすると、「月に一度しか顔を見せない旦那。旦那には家庭が……グッと堪えないと」。でも、そこを「しょうがないわねぇ。きっと奥さんや子どものためにいいお父さんをやっているのよね。そんな優しいあの人が好きだわ」と考える。一方、客は他のお客と仲良くする芸者にイライラ。でも、「しょうがねぇなぁ。たくさんのお客を笑顔にするのがアイツの夢だ。そんなアイツに惚れたんだ」と考えるのです。こうして「諦め」は、より深くてより良い、「増し増し」の関係を可能にします。

**いきの3つの要素**

- 媚　態（惹きつけ）
- 意気地（痩せ我慢）
- 諦　め（執着しない）

## 君のための　哲学プラクティス

### ● 親友と良い関係になるための例題 ●

以前はいつも自分と一緒に遊んでいたクラスの親友。最近は「ほかの友だちと遊ぶ約束をしてしまった」とか、「部活の予定が入ってしまった」とかの理由で断られることが増えてしまった。

本当はいつも自分と遊んで欲しいのに……。

モヤモヤする気持ちが抑えられない。

でも、そんなときは「増し増しの良い関係」になるために、「しょうがないなぁ、○○だから」という言葉を考えてみよう。

### ● ある一つの答え ●

「しょうがないなぁ、あの子は人気者だから」。

相手を認めることで、なんだか前向きな気持ちになりませんか？

## 君のためのワーク

家族でも、クラスメイトでも、最近関係がうまくいってない人の名前を思い浮かべてみよう。そして、「しょうがないなぁ、○○だから」という言葉を考えてみよう。“前向きに諦める”ことで、きっと良い関係になるきっかけが見つかるはず。

友だちの
お悩み②

# 友だちの誘いをどうしても断れない。

テスト前で勉強しなきゃいけないときでも、
「友だちに悪い」と思って、ついついＯＫしてしまいます。
友だちの誘いをうまく断るためには、
どうしたらいいでしょうか。

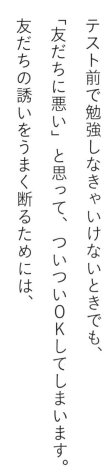

お答えします！

# 言うべきことは言うための哲学

迷える君にお役立ち

優しい性格の子羊さんならではのお悩み。まさにピッタリの有名な哲学者がいます。一七世紀にフランスで活躍したパスカルです。

パスカルの考えを要約して紹介しましょう。「人にとって繊細さは大切です。でも幾何学の精神を併せ持つことで、より良い判断を下すことができます」。パスカルの言う幾何学の精神と繊細の精神とは、どういう意味なのでしょうか。

幾何学の精神とは、論理を重視する合理的なものの考え方です。一方、繊細の精神とは、直感を重視する感覚的なものの考え方を指します。

パスカルが生きた一七世紀は、「天文学の父」と呼ばれるガリレオ・ガリレイが唱えた地動説が普及し、アイザック・ニュートンによって万有引力の法則が発見されるなど、科学が急速に発達した時代でした。哲学の世界も、物事を論理的に順序立てて考える方法が主流になりつつあったのです。

しかし、パスカルは、論理を重視した「幾何学の精神」だけで人間の心を割り切るのは無理があると考えました。人間は「考える葦《あし》」であるという名言を残したパスカルは、「考える力を持った人間も、心は植物の葦のようにもろく傷つきやすいもの。感情の動きに寄り添った繊細の精神も必要だ」と感じていたのでしょう。

このように、人間にとって幾何学の精神は大事なのですが、それと同じくらい繊細の精神が大事だとパスカルは考えたのです。実はそこには深い理由があります。

では、もう少し詳しく解説しましょう。

## 友だちに気を遣い過ぎてしまう。

**人にとって繊細さは大切です。**
**でも、幾何学の精神を併せ持つことで、**
**より良い判断を下すことができます。**

**ブレーズ・パスカル**（1623-1662）

思想家・科学者であり、人間のあり方を分析したモラリスト。パスカルが残した数々の箴言は、現代にも通じる人間の生き方や悩みに大きなヒントを与えてくれます。

## より良い判断を下すために

先ほどの解説で、幾何学の精神と繊細の精神のどちらか一方にかたよるのではなくて、両方を併せ持つことが大切だということは分かっていただけたと思います。

ここでは、幾何学の精神、あるいは逆に繊細の精神のどちらかだけに頼って判断をしてしまうと、どんな結果やリスクがあるのか考えてみましょう。

### どちらかだけに頼ってしまうと

部活の部長になった気分で、こんな状況をイメージしてみてください。後輩の部員が大失敗をしてしまいました！　子羊さんは、部長として指導しなくてはなりません。幾何学の精神だけで合理的に判断するなら、後輩部員になんらかのペナルティを与えるべきですよね。でもその場合、ショックを受けた後輩が部活を辞めてしまうリスクがあります。

では、繊細の精神だけで判断したらどうでしょうか。失敗した後輩を追いつめたり傷つけたりしないよう、言葉で優しく注意するに留めることになるのでは？　でもその場合、成長しない後輩がまた同じ大失敗をしでかすリスクもありますよね。これは

困ります。

## 両方をバランスよく

子羊さんのように優しい性格の場合、相手にとって厳しい結果を導くことになる判断をするのは、つらいことかもしれません。でも、幾何学の精神と繊細の精神の両方が必要です。

したがって、まずは幾何学の精神で「言うべきことは言う」という姿勢が大切です。これは同じ失敗を繰り返さないためにも、また後輩の成長のためにも大事なことですから。

そのうえで、繊細の精神を発揮して、相手が傷つかないよう、言い方に気をつける必要があります。例えば、「人間は誰でも失敗する。僕も失敗してきた」という感じで相手の気持ちに寄り添ったり、「怒ってるわけじゃなくて、君が成長するためだから」と優しさを言葉で表現してから、ルールとしてペナルティを科すのがよいのではないでしょうか。

「合理的な理由」と「気持ち」をきちんと使い分け、その両方を合わせたバランスの取れた態度が、より良い判断を生むのだと思います。

ぜひ恐れることなく、そしてどちらか一方にかたよることなく、自分の気持ちを伝える練習をしてみてください。

**幾何学の精神**

- 論理を重視
- 合理的

**繊細の精神**

- 直感を重視
- 感覚的

## 君のための 哲学プラクティス

**● 友だちの誘いをうまく断るための例題 ●**

テストの前日に友だちのAから「遊びに行こう」と誘われてしまいました。幾何学の精神と繊細の精神の両方から考えて、断る言葉を考えてみよう。

**● ある一つの答え ●**

幾何学の精神

「自分もAもテストの点数が悪くなるから、遊びには行かないほうがよい」

繊細の精神

「Aのことは好きだし、遊びにも行きたい。だから相手を傷つけたくない」

合わせると……

「いま遊びに出かけたら、お互いテストの点数が悪くなるから、今日は行かない方がいいかな～。テスト終わったら行こうね。楽しみ」

こんなふうに、「合理的な理由」と「気持ち」をきちんと伝えれば、相手は嫌な気持ちにならないと思いませんか？

## 君のためのワーク

親友からのお願いを断りたいのに断れない……。そんなときは、「合理的な理由」と「気持ち」を分けて、その両方をバランスよく取り入れて答えてみよう。

友だちのお悩み③

# もしかして、怒ってる？——ＳＮＳの悩み

ＳＮＳでのメッセージのやり取りで、
不安になることが多いです。
「もしかして怒ってる？」と心配してしまいます。
ＳＮＳのメッセージに振り回されないためには、
どうしたらよいでしょうか。

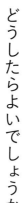

お答えします！

# 自分の想像に自信を持つための哲学

## 迷える君にお役立ち

現代が生んだ新しいお悩みですね。これは、ある哲学者の考えが子羊さんのお悩み解決のヒントになります。一九世紀後半から二〇世紀前半にかけて活躍した、オーストリア出身の哲学者フッサールです。

フッサールは、現象学の創始者と言われています。現象学をわかりやすくいうと、「心に浮かんできたことを重視する立場」と思っておいてもらえばいいかと思います。フッサールの考えを要約してみるとこんな感じなります。「エポケーして、モジモジしないコミュニケーションを取りましょう」。

まずは、エポケーという言葉を説明するためにも、子羊さんのお悩みの仕組みを見ていきたいと思います。例えば、ある人とリモートではなく、直接会ったときに、私がイライラして貧乏ゆすりをしたとしましょう。

そうすると、相手の人は、貧乏ゆすりという動作から、私がイライラしているのではないかと感じると思います。表情や態度、身振り、手振り、声、雰囲気などが分かりにくいリモートよりも、私がイライラしているかどうかについて、より正確な情報を得ることができるからです。

でも、ＳＮＳはどうですか？　文字だけですよね。情報が圧倒的に足りないんですよ。そんな時、人はどうするか。足りない情報、つまり相手の真意や感情、状況、これを想像して、相手の全体像をなんとか捉えようとしてしまいます。文字だけを見て、「もしかしたらこれ、怒ってるんじゃないか？」と疑心暗鬼に陥ってしまうのです。まさにここに問題があるのです。それは何か？　想像の方法です。

では、もう少し詳しく解説しましょう。

## メッセージに振り回されたくない。

**エポケーして、モジモジしない**
**コミュニケーションを取りましょう。**

**エトムント・フッサール**（1859-1938）

エポケーは、「中止」を意味するギリシア語が由来。古代ギリシアの哲学者ピュロンが最初にこの語を用いたとされ、フッサールはこの発想を、自ら生み出した現象学に応用しました。

## モジモジせず、主観で対応しよう

ここで、まず実験をしてみましょう。自分が丘の上に立って花を見ている様子を思い浮かべ、その様子を絵に描いて下さい。どんな様子を思い浮かべましたか？　もしも、丘の上に立つ自分の絵を描いた場合は、真実に近づけているとは言えません。実際には、子羊さんから子羊さん自身はほぼ見えませんから。つまりこの絵では、「丘の上から花を見る」ということが、知識や先入観、世の中一般でよく言われることに頼って想像したものになっているのです。

では、真実に近いのはどういう絵か？　それは花だけを描いたものです。この違いがフッサールの言う想像の方法の違いです。

### 客観と主観

フッサールは、想像の方法には、真実に近づけていない方法と、真実に近づけている方法の二種類があると考えました。

前者は客観。つまり、自分の外からの情報に頼って物事を捉える方法です。後者は主観。つまり、自分の直接の経験から得た情報で物事を捉える方法です。現代人は、

つい客観で想像しがちです。例えば私たちは、実際に自分の目で見たこともないのに、「地球は丸い」と信じています。なぜか？　それはフッサールにいわせると、一九世紀になり科学が発展するにつれ、人々はデータ、つまり客観に頼って物事を捉えるようになってしまったからです。

したがって、客観と主観の違いはズバリ、自分の想像に自信が持てるかどうかにつながってきます。自分が直接経験したことは、絶対に疑いようのない事実です。だからその想像には自信を持つことができます。他方、客観は外からの情報に頼って物事を捉えているわけですから、実はいくら想像しても、むしろ勘違いかもしれないのです。

## エポケーの効果

SNSでのやりとりの場合、ただSNS上で見聞きしたことではなく、やりとりしている相手と「直接」接した時に感じた自分の経験を思い出して下さい。つまり、主観で対応すれば、自信を持って対応することが出来るはずです。モジモジせずに、主観で対応するために必要なのが「エポケー」です。文字を見た時、人は外からの客観的な情報を思い浮かべてしまいますが、それは一旦カッコに入れて、脇に置きましょう。能動的に判断を中止すること、これが疑心暗鬼に陥らないための方法、「エポケー」なのです。

## 君のための　哲学プラクティス

### ● SNSのメッセージに振り回されないための例題 ●

「今日ひま～？」とメッセージしたら、友だちから「ひまじゃない」という返信が。

しかも、いつもはついている絵文字もない……。「え、なになに？　文章冷たい。もしかして怒ってる？」。

そんなふうに思ってしまったときどうしますか？

### ● ある一つの答え ●

その友だちは「ひまじゃない」と言うとき、いつもはどんな表情や口調をしているか思い出してみて。

きっと怒っている感じじゃないよね？　それを信じよう！

文字からの情報だけではなくて、自分の経験を信じると、なんだか気が楽になりませんか？

### 君のためのワーク

相手のメッセージが冷たかったり、絵文字がなかったり、既読・未読スルーされたり……。

見えない相手の感情にやきもきするよね。そんなときは、相手が「怒っているかもしれない」と思う気持ちを「エポケー！（判断中止！）」しよう。

そして、実際に会ったときの相手の様子を思いうかべてみよう。

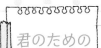

友だちのお悩み④

# 嫌われるのが怖くて、発言できない。

文化祭での出し物を何にするかなど、クラスでの話し合いで、自分の意見を言うことが出来ません。否定を怖がらずに、きちんと意見を言うためには、どうしたらいいでしょうか。

お答えします!

# 否定を恐れず、意見を言うための哲学

迷える君にお役立ち

子羊さんのお悩みには、近代哲学の頂点に立ったとも称されるドイツの偉大な哲学者ヘーゲルの否定の哲学がヒントになると思います。彼の否定の哲学を要約するとこんな感じになります。「否定は肯定の反対ではありません。否定によって初めて私たちは存在できるのです」。

そもそも、相手を否定したり、相手に否定されるというのはどういうことなのか。否定というと「間違っている」というネガティブなイメージを持つかもしれません。でもそれは、子羊さんが否定を肯定の反対としか捉えてないからだと思います。

ヘーゲルは否定を決して悪いものではないと述べています。たとえば、「今」というこの時について、簡潔に説明した場合、「過去でもなく、未来でもない」と否定することによって、「今」という時をはっきり言い表すことができますよね。

ここで、否定が存在をはっきりさせるということをより体感できる「イエス・ノークイズ」を出したいと思います。Aさんには「あるもの」の写真を見てもらいます。何が写っているかはBさんには内緒です。Bさんは、それが何の写真かを当てるべく、「それは○○ですか?」とAさんに質問します。Aさんはそれに対し、当たっていたら「イエス」、違っていたら「ノー」とだけ答えます。これを繰り返して正解を目指そうというクイズです。このクイズは否定をすることによって、「あるもの」とは違うものを一つひとつ消していって、正解に辿りつくという趣旨です。正解を導くためには、否定が必要になるということがだんだん分かってきたかと思います。

では、もう少し詳しく解説しましょう。

## 否定するのも、否定されるのも嫌。

**否定は肯定の反対ではありません。**
**否定によって初めて私たちは**
**存在できるのです。**

**G・W・F・ヘーゲル**（1770-1831）

ヘーゲルはドイツ観念論の完成者とも称されています。弁証法という概念を打ち立てるなかで、そのプロセスである否定について、深く考えました。

## 否定でお互いを分かりあう

先ほどのクイズから分かるように、いらないものを削ぎ落とすことで、物事の存在は確かなものになります。だから、ヘーゲルは、否定が大事だと考えたのです。

### 否定の意義

これはクラスの話し合いでも同じことが言えると思います。話し合いのなかで、クラスメイトの意見を否定する、あるいは否定されることには、どんな意味があると思いますか？　みんなでより良いものを作っていくためには、いらないものを削ぎ落とさないといけないですよね。ということは、否定が必要になるということなんです。

もちろん、話し合いの場ですから、正解がないなかで、つまり自分の意見が合っているかどうかも分からないなかで、どんどん否定していくことに不安を感じることがあるかもしれません。

でも、たとえその時に正解が分からなくても、否定したことで、「あ〜、○○さんはこういう考えなのか」とハッキリしますよね。だから、以前よりも、クラスメイトと分かり合うことができるようになるのです。

もう少し、具体的に考えてみましょう。

文化祭の出し物について、「どういったテーマの演劇を上演するか」という話し合いをするため、クラスで意見を出し合うことにしました。Aさんは「恋愛もの」を考えており、Bさんは「冒険もの」を考えていました。もちろん、お互いの案は知りません。

はじめに、Aさんが自分の案を話しましたが、Aさんとは異なる案を考えたBさんが、Aさんの案を否定し、それについてAさんは反論しました。否定によって存在をはっきりさせる、理想のものを作るということをお互いが理解していたため、否定を繰り返すことで、Aさんの思いや、Bさんのこだわりをお互いが知ることが出来ますよね。もし理想のものを作るという共通認識がなければ、否定することはないでしょうが、良い結果も望めません。

反対に、良い結果に向かうための否定だと分かれば、その否定は嫌なものではなくなり、またお互いを隔てる壁にはなりません。その先にお互いが求める理想の結果が待っているということです。実はみんな、心のどこかでそんな前向きな否定を求めているのではないでしょうか。

**否定の哲学**

**否定によって、**

**いらないものを削ぎ落とす。**

**→物事の存在が確かになる。**

## 君のための　哲学プラクティス

● 否定を恐れないための例題 ●

学園祭の出し物について、クラスメイトが「お化け屋敷をしよう」と言いました。でも自分は「なんだか賛成できないな～」と思いました。

もっと良いものを作るために自分の意見を言ってみよう。

● ある一つの答え ●

まず、心の中で相手の意見の欠点を考える。「ほかのクラスも似たようなものをやりそうだなぁ」。

そこで、ほかのクラスと違う特色を出せないかと考えて……「お化け屋敷×脱出ゲーム。謎を解きながら、屋敷から逃れる企画はどう？」。

否定をすることで、より良いものを探ることができたり、自分のやりたいことが明らかになりますよね。

### 君のためのワーク

相手の意見を否定するのは難しいけれど、「より良いものを作るために」と考えてみよう。相手を否定しなくても、自分の心の中で、「Aさんのアイデアの欠点は○○だな～。その欠点がないアイデアは○○だ」というふうに考えてから、自分の意見を発表してみよう。

また、人から否定されたら、それは自分を発見するチャンスだと捉えよう。「その服似合わないね～」と否定されたら、「なんで似合わないのかな～」と明るく聞いてみよう。きっと自分に似合うもの、そして自分を発見するチャンスになるはず！

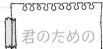

友だちのお悩み⑤

# 友だちの持っているものが、うらやましくて仕方がない。

センスの良い友だちがいます。
その友だちが「格好いい」という洋服をいつも欲しくなります。
でも、同じものを買ったら友だちとギクシャクしそうです。
友だちが持っているものをうらやましがらないためには、どうしたらよいでしょうか。

欲望を持つことは、決して悪いことではありません。

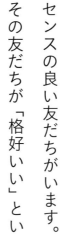

お答えします！

# 憧れて、欲望を叶えるための哲学

## 迷える君にお役立ち

子羊さんのお悩みを聞いて、この哲学者がいいかなという人を選びました。フランス生まれで、最近までアメリカで活躍していた哲学者のジラールです。ジラールは、人間の欲望がどういうものかについて説きましたが、その中に解決のヒントがあります。ジラールの哲学を要約するとこんな感じになります。「物事に深く踏み込むためには、相手をよく見て、正しい欲望を持つことが大事です」。

実は欲望の捉え方は、いろいろあります。でも、子羊さんには、正しい欲望について知っていただくことが重要だと思います。ジラールは欲望のことを知るために、その仕組みを考えました。そうして彼が行き着いた結論は、「すべての欲望は、模倣としての欲望」だというものです。

例えば、AさんにはBさんという友だちがいたとします。Bさんは、格好いい古着が大好きで、古着に対して「欲しい」という欲望を持っています。そんなBさんを見ているうちに、それまで古着に興味がなかったAさんも、いつしか「あれ、古着ってかっこいいじゃん！　自分も欲しい！」と思い始めます。これはBさんの欲望を、Aさんが気づかぬうちに模倣したからです。そして古着に対して向けられたのが、「模倣としての欲望」なのです。

この場合、なぜ模倣してしまうのかというと、他人が欲望を楽しんでいる様子を見て、「自分もあんなふうに楽しめるんじゃないか」と無意識に重ね合わせるからです。人は欲望を持つとき、もともとそれを欲していた他者を媒介にする傾向があるのです。

では、もう少し詳しく解説しましょう。

## どうしてこんなに「うらやましい」？

**物事に深く踏み込むためには、**
**相手をよく見て、**
**正しい欲望を持つことが大事です。**

### ルネ・ジラール（1923-2015）

文芸批評でも知られ、アメリカのスタンフォード大学などで教鞭をとりました。ジラールは自分、他者、対象のあいだで形成される三角形を「三角形的欲望」と呼びました。

## 対立を恐れず、憧れを持とう

子羊さんは、友だちが何かを欲しがることで、自分の欲望が刺激されている状態にあります。ただ、これはある問題を生じさせますよね。そう、その友だちが欲しがっている洋服が一着しか存在しないような場合です。同じ洋服を子羊さんも欲しいと思ってしまったら、その一着をめぐって、二人の間に対立が生じてしまいます。

### 「対立」を言い換えてみよう

ここで、対立という言葉を別の言葉に変換してみましょう。そうすると上手くいくんです。さてどんな言葉でしょうか？　それは、「憧れ」です。

例えば、子羊さんが買ったコートを、ある友だちが憧れの眼差しで見つめています。「いいな〜」「カッコイイ」と声をかけられたら、どんな気持ちになりますか？　嬉しくなりますよね。そう言ってくれた友だちに、「ちょっと着てみる？」と声をかけるかもしれません。

このとき、その友だちは一部ですけど、欲望を叶える体験を得ています。少なくとも対立関係は生まれていないですし、一番良いパターンなのではないでしょうか。

また、子羊さんは、部活動の先輩のなかに、あまり話したことはないけれど、密かに憧れている先輩はいませんか？　その先輩が大会で優勝を目指していたら、子羊さんも「優勝して欲しい！」と思いますよね。その欲望は、先輩とは競合せずに、同じ方向を向いています。

親しくない先輩も、同じ目標に向かう仲間だと感じられれば、一歩踏み込んだ関係が築けるようになるのではないでしょうか。

その先輩と親しくなるためには、先輩のことをよく見たうえで、憧れからくる正しい欲望を持つことが大切です。「この人は何を目指しているのだろうか」と。そうすれば、これまで浅い関係だった先輩とも、距離が近づいていくはずです。

一歩踏み込むことは、決して人と嫌な関係になったり、その人と対立してしまうということではありません。同じ目的に向かって、一緒に一歩踏み込んでいると思ったらいいのです。

こんなふうに、欲望を持つことは、対立どころか良い人間関係を築くきっかけにもなりうるのです。

## 君のための　哲学プラクティス

● 他人のものをうらやましがらないための例題 ●

素敵な帽子を持っている友だちがいます。

「あの帽子、私も欲しい」といううらやむ感情を「憧れ」に変えてみよう。

● ある一つの答え ●

「もの」に対しての欲望に目を向けると、どうしても「うらやましい」という感情が芽生えてしまいます。

そこで、もっている「人」に対する「憧れ」に転換すれば、相手と対立することなく、その「もの」を介して仲良くなれますよね。

### 君のためのワーク

人が持っているどんなものをうらやましく思いますか？

「もの」へのうらやましい気持ちが芽生えたら、持っている人への「憧れ」に変えてみよう。

# 第Ⅱ章　部活動や勉強のお悩み

部活動や勉強のお悩み①

# 夢中になりすぎて、周りの声が聞こえなくなる。

友だちや家族に心配されるほど、勉強や部活動を頑張りすぎてしまいます。成績が悪かった頃、レギュラーにもなれなかった頃の悔しい気持ちを忘れられないからです。のめり込み過ぎないように周りの声を聞くためには、どうしたらいいでしょうか。

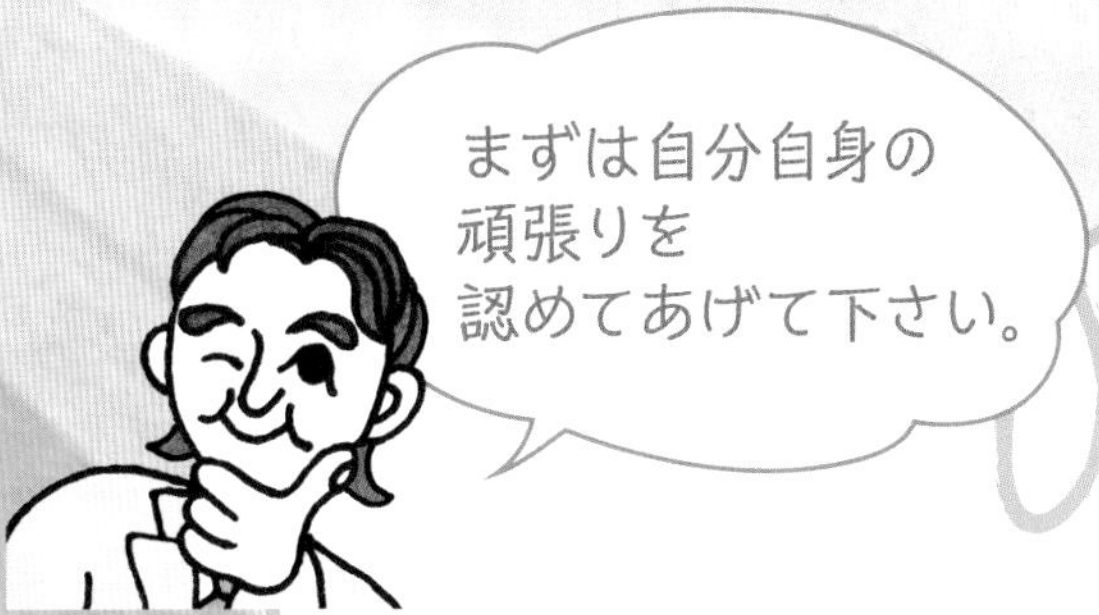
まずは自分自身の頑張りを認めてあげて下さい。

お答えします！

# 自分を認めて、周りの声を聞くための哲学

迷える君にお役立ち

このお悩みについては、ドイツの哲学者ヘーゲルに再び登場してもらいましょう。彼はこう言っています。「人はなぜ働くのか？　それは生きるためだけにあらず。ひと角の人物になるためである」。まさに、子羊さんの姿ですね。

成績が悪かった頃の自分や、レギュラーになれず、悔しい思いをした頃の自分に戻りたくない。成績が良い友だちを羨ましく思ったり、部活動のライバルの勇姿を見て、焦ったりしたくない――。

子羊さんは、クラスの友だちや部活動の仲間たちに「あいつはすごい」と認められることで、自分にとって恥ずかしくない存在になろうと、毎日頑張っているのだと思います。

この「他人に認められる」ということがヘーゲルの言う「ひと角の人物になる」ことなんですね。人間は単に生きているだけでは満たされない生き物なのです。だから、周囲が見えなくなってしまうほど、勉強や部活動に夢中で取り組むことは当然ですし、そんな自分自身をまずは認めてあげてください。

でも、友だちや家族の心配する声に耳を傾けることができなくなるほどのめり込んでしまうのはちょっと問題です。

確かに、「昔の弱かった自分、ダメな頃の自分に戻ってしまうのではないか」と不安になることはあると思いますが、周りから見たら、全然そんなことはありませんよ。

現にいま頑張っているのだから、昔の子羊さんとは違うはずです。そのことを理解するためにも、気持ちの切り替えが必要ですね。

では、もう少し詳しく解説しましょう。

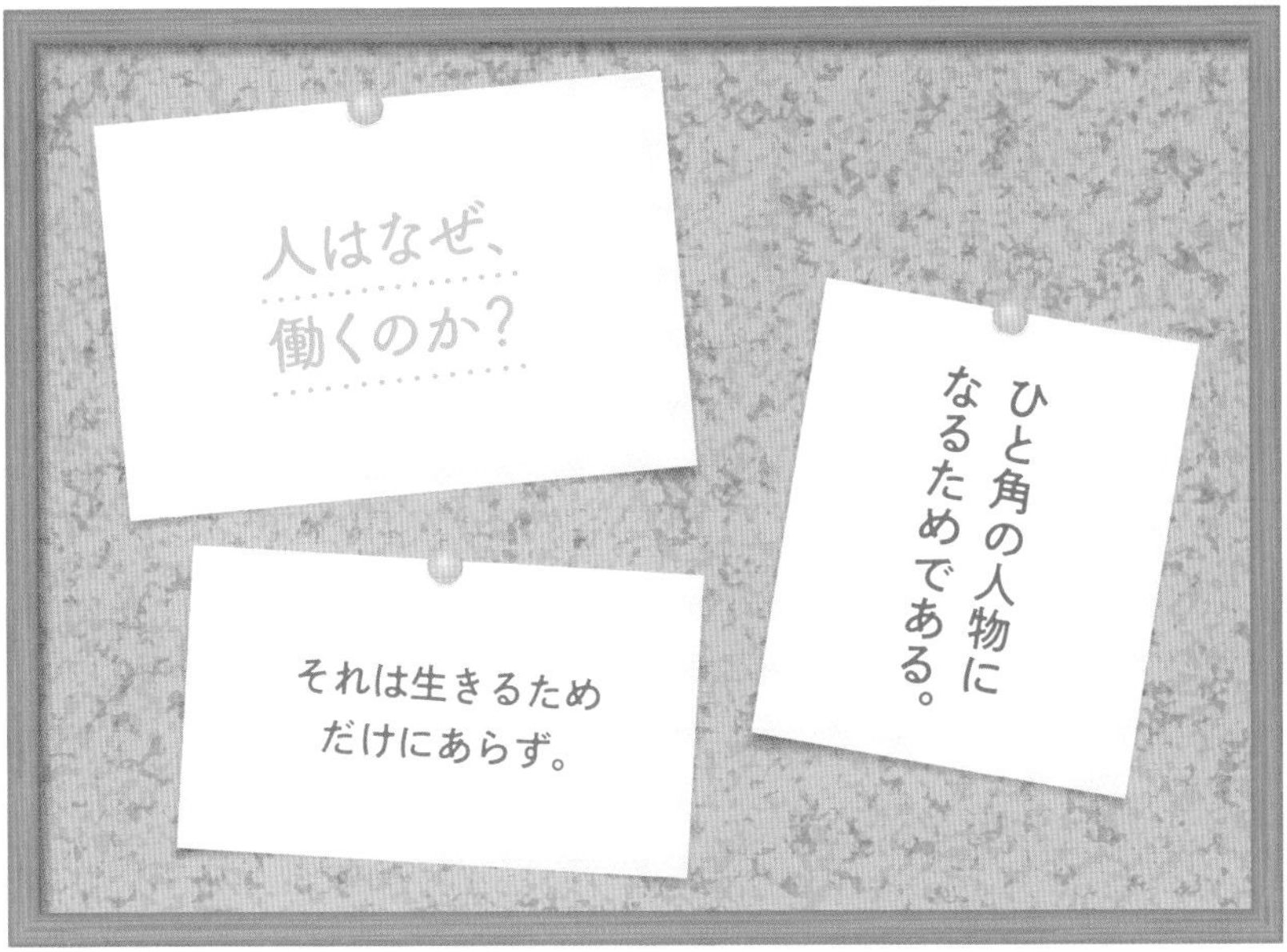
人はなぜ、働くのか？
それは生きるためだけにあらず。
ひと角の人物になるためである。

認めらｒれたい
お悩み
プロフェッショナル

## G・W・F・ヘーゲル（1770-1831）

『法の哲学』という著作のなかで、「ひと角の人物」について説いています。周囲からの承認は、誇りとなって、生きる勇気を与えてくれます。

## 相手の話をきちんと受け止めよう

ヘーゲルは、市民社会の意味について考えたことでも知られています。そんなヘーゲルによると、市民社会とは「自立した一人ひとりの個人が、お互いを認め合う」ことで成立しているのです。

社会は、一人ひとりが否定しあっているとまとまりません。また、人は周りの人から認められないと社会の中に居場所が無くなってしまいます。それはさみしいですよね？　つまり、人間は単に生きているだけでは満たされないのです。

### 「お互いに認め合う」とは？

では、周りから認められるためにはどうすればいいか？　ヘーゲルはこう述べました。それは、何らかの職業に就き、社会的役割を果たすことであると。だから、人間は周りの人々から認められる、「ひと角の人物」になろうとして働くというワケなのです。

一方で、「一人ひとりの個人が、お互いを認め合う」ためには、自分のことだけでなく、相手のことを知ることも大切です。「周りから認められたい」とのめり込み過

**市民社会とは**

自立した個人が
互いに認め合うことで
成立する。

ぎた結果、「自分の声」ばかりを聞いて、周囲の声に耳を傾けることができなくなってはいけません。

## 思いの大きさは同じ

もしも、子羊さんが寝る間も惜しんで勉強をして、体調を崩してしまったり、万全の状態ではないにもかかわらず、試合に出場して怪我をしてしまったら、家族や友だち、部活動の仲間たちはどう思うでしょう？　きっと心配して悲しみますよね。

子羊さんと「一緒に勉強したい」「レギュラーとして一緒に活躍したい」と思っている友だちや、子羊さんの活躍を楽しみにしている家族の思いは、子羊さんの思いと同じ大きさなのです。相手の話を聞き、それに気づくことが、「お互いを認め合う」ことにつながっていくのではないでしょうか。

思いが同じ大きさだということは、同じ重みがあるということです。他人からのアドバイスは、「あー、分かった。分かった」と軽く受け止めてしまいがちです。人はどうしても、自分の気持ちを大きく受け止めて、周囲の声を小さく受け止めてしまうからです。

でも、気持ちを切り替えて、自分の思いと相手の思いは同じ大きさで、同じ重みがあるのだと理解すれば、他人からのアドバイスを心から聞くことが出来るようになると思います。

## 君のための 哲学プラクティス

### ● 周りの声をきくための例題 ●

ついつい周りの声を受け止めず、頑張り過ぎてしまうAさん。そんなAさんに届いている声はこんな感じ……。

周りの声：「休まないと、体を壊すよ」

自分の声：「一生懸命やらないと負けてしまう」

文字の大きさによって思いの大きさが変わって見えるように、自分の気持ちは大きく受け止める一方、周りの声は小さく受け止めてしまいがち。Aさんに、自分の声と周りの声を同じように受け止めてもらうためにはどうすればいい？

### ● ある一つの答え ●

「自分の声」も「周りの声」も同じ大きさで表現してみる。例えば……。

周りの声：「休まないと、体を壊すよ」

自分の声：「一生懸命やらないと負けてしまう」

文字の大きさが同じであるように、周りの声も自分の声も同じ大きさだと実感できれば、相手のことを尊重できますよね。

### 君のためのワーク

日頃、周りの人たちは君にどんなことを言う？　それに対する自分のきもちは？　「周りの声」と「自分の声」を一度同じ大きさで書いて、周りの声の受け止め方を変えてみよう。

部活動や勉強のお悩み②

# 暗記が苦手です！

受験を控えています。
でも、暗記が苦手で、
テストの点数がなかなか伸びません。
暗記力をつけるコツはありますか。

お答えします!

# 忘れにくく、思い出しやすいものを増やす哲学

迷える君にお役立ち

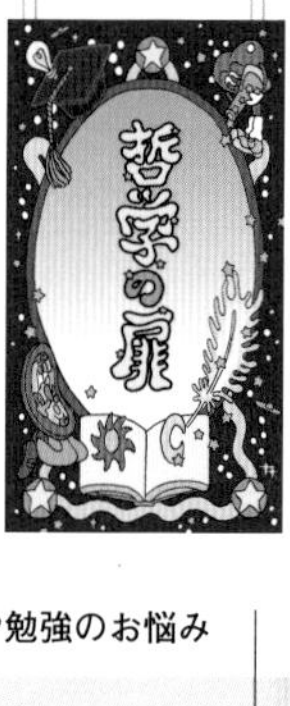


子羊さんのお悩みに答えるために、人間の記憶はいったいどういうものなのか掘り下げていきたいと思います。記憶に関するお悩みを解く鍵となる哲学者を紹介しましょう。一九世紀後半から二〇世紀にかけて活躍した、フランスのベルクソンです。

ベルクソンの考えを要約すると、こんな感じになります。「記憶を思い出すには、思い出そうとしないことです」。一見、矛盾しているように見えますが、これで記憶を取り戻すことが出来るんです。

皆さんはロケット鉛筆をご存知ですか? 押し出し式の鉛筆ですね。ロケット鉛筆に入っている芯はこれまでの記憶だと思ってください。このロケット鉛筆には、芯がびっしりと詰まっています。つまり、記憶の容量に今、空きがない状態です。そこに覚えたばかりの新しい情報が足されると、どうなるか見てみましょう。新しい芯を新しい情報と見立てて、これを鉛筆の後ろから入れて、押し込んでみて下さい。そうすると、一番先にあった芯が出てきましたね。記憶もこのロケット鉛筆と同じです。新しい情報が入ってくることで、その古い記憶は余分なものとして押し出されてしまいます。これがものを忘れるというメカニズムです。

特に、目の前のことに集中している場合には、新しい情報がどんどん入ってくる状態になりますから、古い情報は次々に押し出されてしまい、忘れてしまう。そのため、押し出された情報をどうにかしないといけないんですが、ベルクソンに言わせると、目の前の情報から思い出そうとしてもダメなんです。

では、もう少し詳しく解説しましょう。

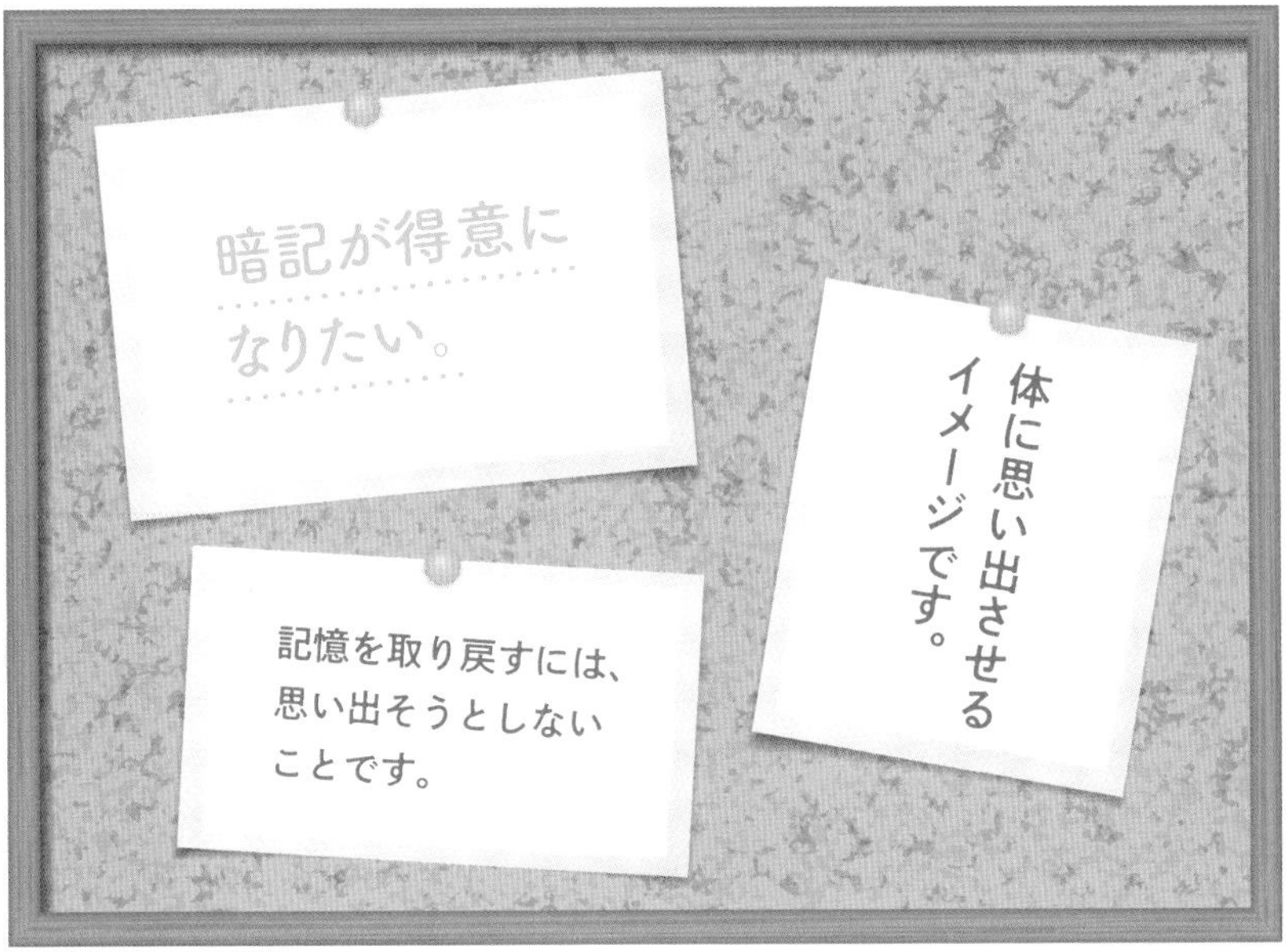
暗記が得意に
なりたい。
記憶を取り戻すには、
思い出そうとしない
ことです。
体に思い出させる
イメージです。

記憶の
お悩み
プロフェッショナル

## アンリ・ベルクソン（1859-1941）

ベルクソンは生命や時間についての考察でよく知られます。独自の進化論「エラン・ヴィタール」という概念を掲げ、生命は多方向に飛躍するように進化したと考えました。

## 勉強したことを忘れないために

押し出された記憶は消えたわけではありません。「過去に飛び込んで、記憶に直接アクセスせよ」とベルクソンは述べていますが、それを理解するうえで知っておきたいのが、記憶には二つの種類があるということです。

### 記憶に直接アクセスする方法

ひとつめは、「忘れやすく、思い出しにくいもの」です。人の名前や地名などの固有名詞。そして、難しい話などです。こういうのは時間がたつとなかなか思い出せませんよね。もうひとつは「忘れにくく、思い出しやすいもの」です。これは実際に体験して体で覚えたことです。あたかも体にメモするかのように刻み込むことで、古い記憶になってもアクセスしやすくなるのです。

記憶にアクセスするには、この体にメモするという要素を活用すればいいのです。人間は頭だけじゃなくて、体でものを覚えている側面があるからです。

例えば、何かを思い出したいとき、体はどんなふうに動きますか？　頭を抱えたり、腕を組んだり、歩き回ったりすることもありますよね。記憶にアクセスしようと無意

識に体を動かしてしまうのだと思います。

しかし、歩き回ってウロウロしているだけでは、なかなか記憶にアクセスできません。そこでベルクソンの哲学を、意識的に応用してみましょう。

## 忘れたくない記憶は、体にメモする

たとえば、覚えたい年号と出来事の動作を決めたらどうでしょう。「鳴くよウグイス平安京」（七九四年：平安京への遷都）という語呂合わせが知られていますが、こういうのはウグイスが鳴くマネをしてみるなど、イメージする動きを付けて読み上げると、より忘れにくくなります。人間、音だけで覚えるのはなかなか難しいものです。情報は多いほどいいので、ぜひ音と動作をセットにする暗記法を試してみてください。

これは勉強に使えるだけではありません。学校から帰った後に掃除をしなければいけない日は、掃除機をかける動きをしながら心に留めておくのも一つですね。そうすると、家に帰ってふと手を動かした瞬間に記憶がよみがえってくるでしょう。

体にメモしたわけですから、頭で思い出そうとするのではなく、体を動かしてみる、体に思い出させるというイメージです。実際にやってみると、有効性が分かると思いますよ。「記憶を思い出すには、思い出そうとしないこと」というのはそういう意味なのです。

## 君のための 哲学プラクティス

### ● 暗記力をつけるための例題 ●

次の 10 個の動作を 30 秒で覚えよう。

「歩く」　「休む」

「見る」　「笑う」

「起きる」　「転がす」

「飲む」　「置く」

「脱ぐ」　「出す」

### ● ある一つの答え ●

それぞれの動作を実際にやりながら覚えてみよう。できれば、声に出しながらやると、なお印象が強くなるよ。

どんなことも何か動きと関連させて、実際に
体を動かしながら暗記すると覚えやすいですよ。

### 君のためのワーク

テスト勉強で暗記をするときや、大事な友だちとの約束を忘れないようにするために、体を動かして覚えてみよう。

部活動や勉強のお悩み③

# レギュラーになりたいけど、仲間と争いたくない。

レギュラーの座を射止めるために頑張りたいのですが、仲間を蹴落とすようなレギュラー争いをするのが嫌いです。この矛盾を解決するためには、どうしたらよいでしょうか。

お答えします！

# 矛盾したお悩みを解決するための哲学

迷える君にお役立ち

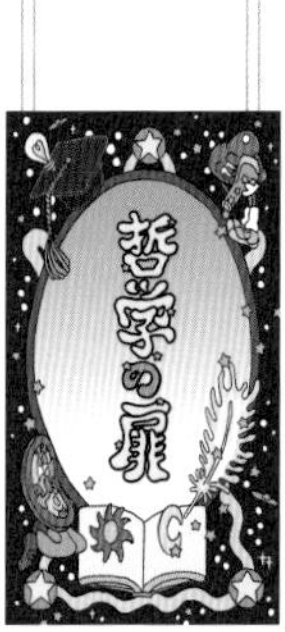


このお悩みには、またまたあの人に登場していただきましょう。そう、ドイツの哲学者ヘーゲルです。

　ここで満を持して、彼の代表的な哲学である弁証法を取り上げたいと思います。弁証法は、この世の全ての矛盾を解消するヒントになる哲学だと言っていいと思います。相異なる二つの気持ちの矛盾に悩む子羊さんに、この弁証法でスッキリしてもらいましょう。

　ヘーゲルの考えを要約するとこんなふうになります。「全ての物事には必ず正と反という矛盾する存在がある。でも互いを対立させず、アウフヘーベンすれば高みを目指せるであろう」。

　「アウフヘーベン」という言葉、気になりますよね？　早速説明していきましょう。ある一つの主張があったとしたら、必ず、その反対の意見も出てきます。これが正と反という矛盾する状態だと思ってください。この二つの意見は、普通だったらぶつかって、平行線をたどるだけで相容れない状態です。

　ところが、アウフヘーベンという論理を用いて互いを対立させないようにすると、どちらも納得する、合という結果にたどり着くことができます。つまり、アウフヘーベンは、正と反がぶつかる時に、反を切り捨てずに、それをうまく取り込んで合へと発展させることなのです。

　でも、お互いの意見を半分ずつ足しただけでは、合の位置は正と反の真ん中になるだけですから、いわゆる妥協ですよね。この状態だと、お互いに我慢してしまって矛盾が解消されません。いったいどうすればいいのでしょうか？

　では、もう少し詳しく解説しましょう。

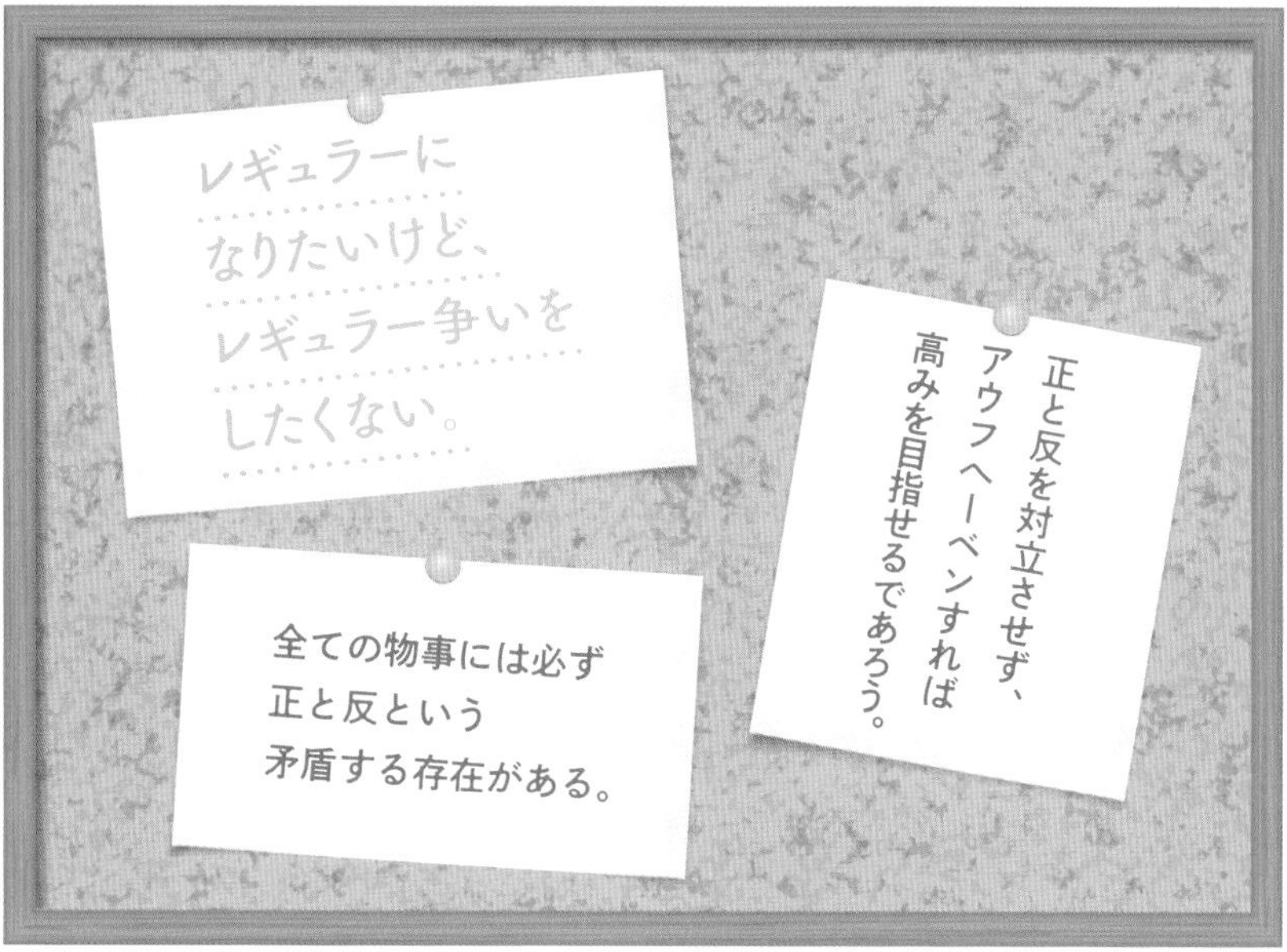
レギュラーに
なりたいけど、
レギュラー争いを
したくない。
全ての物事には必ず
正と反という
矛盾する存在がある。
正と反を対立させず、
アウフヘーベンすれば
高みを目指せるであろう。

矛盾の
お悩み
プロフェッショナル

## G・W・F・ヘーゲル（1770-1831）

実は弁証法そのものは、古代ギリシアのソクラテスの時代からありましたが、ヘーゲルはこれを物事を発展させるための論理として位置づけました。

## アウフヘーベンで問題を高みに

アウフヘーベンは「止揚」などと訳されますが、元々は「持ち上げる」といった意味のドイツ語です。矛盾するものをさらに高い段階に持ち上げて解決することです。

### アウフヘーベンと妥協の違い

それでは、アウフヘーベンをわかりやすい具体例で考えてみましょう。あるクラスに個性が強い生徒がいました。発想はユニークですが、遅刻も多く、協調性はゼロ。クラスのみんなは困っていました。正の意見は、「とにかくみんなとなじませるべきだ」。それはごもっともですね。

一方、対立する反の意見は、「その子の個性を尊重するべきだ」。これも一利ありま す。さあ、この矛盾をアウフヘーベンして解決に導いてみましょう。

この場合、その子を無視しようとすると、問題の解決をあきらめていることになりますよね。だからといって、「良いところだけを認めて、他のところは目をつぶろう」と考えると妥協になります。そこで、その子の個性をうまく生かして、むしろクラスの人気者にしてあげれば、クラス全体としていい雰囲気になるのではないでしょう

か？

おまけにその子も自分の居場所が見つかり、結果として遅刻もせずみんなに合わせるようになるかもしれません。これがまさにアウフヘーベンなのです。コツは「最終目標は何なのか」を考えることです。

## 弁証法は発展の論理

弁証法が目指すのは、とにかく物事の発展です。マイナスをプラスに変えるといってもいいかもしれません。そのためには、問題をプラスに転換する必要があるのです。ヘーゲルはそうやって社会や歴史が発展する様についても論じてきました。矛盾を乗り越えた時、人間はただ問題を解決するだけでなく、より発展した状況に至ることができるのです。これは困難を乗り越えた人だけに与えられるご褒美だといってもいいでしょう。

とりわけ弁証法という問題を切り捨てない思考は、それが困難であるだけに、うまくいったときのご褒美は格別です。

いわば「この問題があるからこそいい」という逆転の発想をするわけですから、そこからイノベーションが生まれるのもうなずけます。

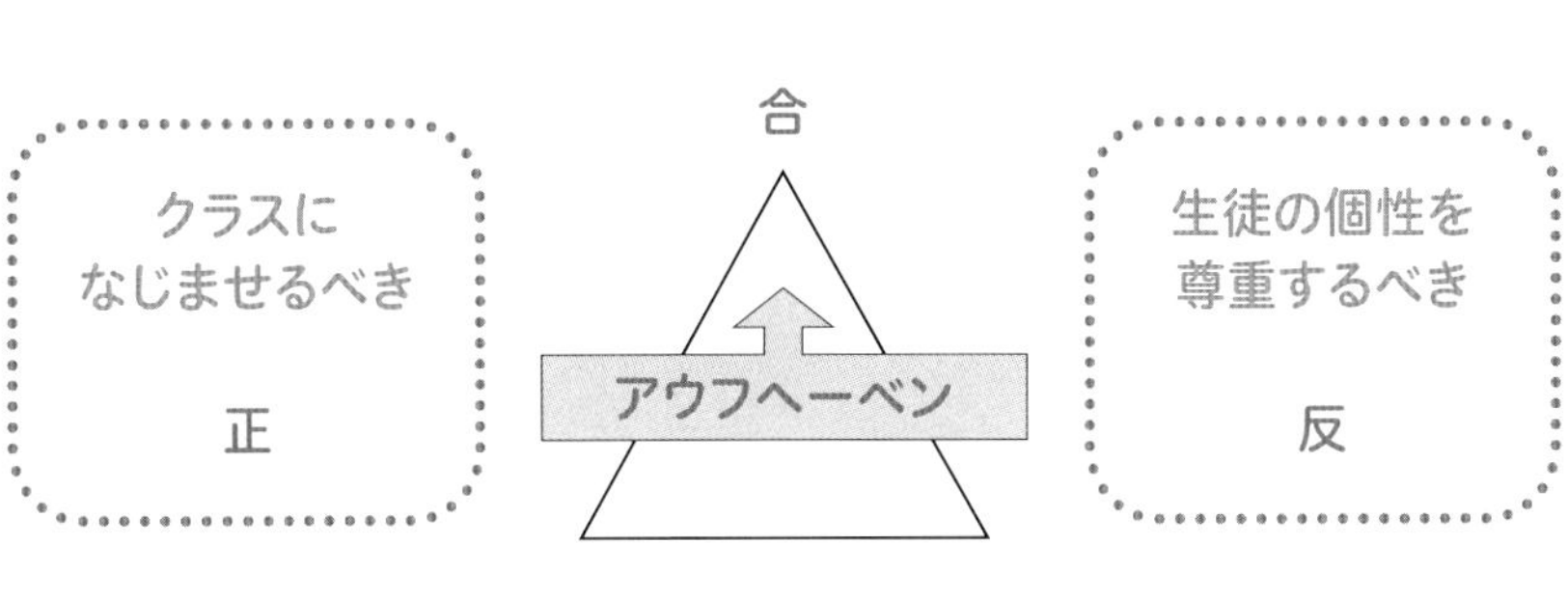

## 君のための　哲学プラクティス

### ● 矛盾を解決するための例題 ●

レギュラーになりたいけど、仲間と争いたくない。「正」「反」「合」を使って、良い解決をさぐってみよう。

正は「レギュラーになりたい」、反は「仲間と争いたくない」。「合」を考えてみよう。

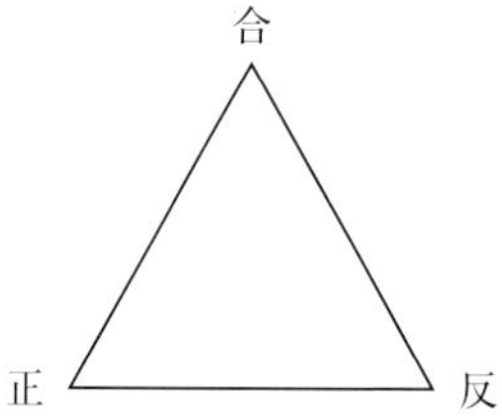


### ● ある一つの答え ●

目的はあくまで「チームで優勝すること」。自分がレギュラーになることも争いではなく、切磋琢磨と考えて受け入れよう。

矛盾を抱えたとき「正」「反」「合」で考えてみれば、妥協や我慢をするのではなく、「両方とも生きる解決方法」が見つかります。

### 君のためのワーク

「遊びたいけど、親に怒られなくない」「食べたいけど太りたくない」「好きな髪形にしたいけど、校則を破りたくない」――。

いろんな自分の「矛盾」を「正」と「反」に置き換えて、「合」を見つけてみよう。

部活動や勉強のお悩み④

# 自分のせいで、試合に負けてしまった。

自分が大会の途中でバテたために、
部活の試合で負けてしまいました。
そのことが原因で自分に自信が持てません。
自分を責めずに、また前向きな気持ちでプレーをするためには、
どうしたらよいでしょうか。

お答えします！

# マイナスな過去を捉えなおす哲学

迷える君にお役立ち

芸人さんはよく過去の失敗をネタにしますが、実はこれ、自分の過去を深刻に捉えすぎないようにするという方法論でもあるんです。

ある思想家がそんな方法論を説いています。一九世紀にアメリカで活躍したマーク・トウェインです。『トム・ソーヤーの冒険』（一八七六年）の著者としてもよく知られる人物です。

そんなトウェインの哲学を要約するとこんな感じです。「人は誰しも外的な力で動かされています。だから、一見マイナスに見える過去もあなたの能力不足ではありません」。

ここで、「外的な力」とは何かを知るために、こんな例え話をしたいと思います。「同じ性能のパソコンAとBがあります。Aは涼しいオフィスで使われ、Bは暑い屋外で使われました。同じ性能なのに、Bは熱暴走を起こし、Aより性能が落ちてしまいました」。さてこれはパソコンBのせいでしょうか？　そうではなくて外部環境のせいですよね。

この「環境」のことを、トウェインは「外的な力」と呼びました。機械は外的な力によってその性能が決まってしまうということです。そして彼は、機械だけではなく、人の能力の優劣さえその人の努力や才能ではなく、外的な力で決まると考えたのです。いわば、人間は機械と同じなのです。

トウェインの言うことに従えば、子羊さんが「自分のプレーミスのせいで、試合に負けてしまった」などと自身を責め、ネガティブに感じる必要はまったくないように思えてきませんか？　え、なかなかそこまでは思えない？

では、もう少し詳しく解説しましょう。

# 「自分のせい」と自分を責めてしまったら？

人は誰しも外的な力で動かされています。

だから一見マイナスに見える過去もあなたの能力不足ではありません。

自分を責めてしまう
お悩み
プロフェッショナル

## マーク・トウェイン（1835-1910）

エッセー『人間とは何か』は哲学的作品と言っても過言ではありません。トウェインは同書の中で、人間機械論を唱えています。

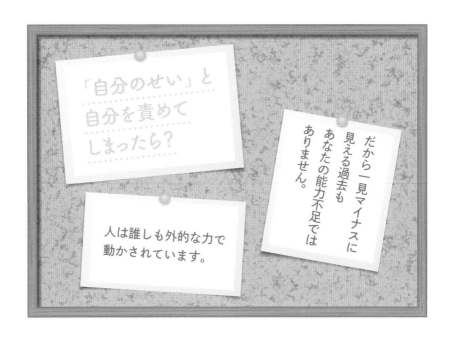

## 過去を深刻に捉えすぎないようにしよう

ここで、もう一つ、例え話をしたいと思います。寝る間も惜しんで勉強したAさん。すると合格！　名門大学に入学できました。この成果はAさんの努力のおかげなのでしょうか。

もしかしたら、Aさんが偶然、腕の良い家庭教師に出会えたからかもしれません。あるいは、Aさんの身近に努力して成功した人がいたのかもしれません。また、生まれつき集中するのが得意だったという可能性もあります。そうなると、名門大学に合格できたことは、Aさん自身の努力のおかげだと言い切ることは難しくなります。つまり、いろいろなことが影響して、外的な力が働いたと言えますね。そう考えると、ネガティブな出来事についても同じように、あれこれ理由をつけることができるはずです。

### 「ナイス言い訳」を探してみよう

このような思考法を取り入れるために、あえてすべてを周りのせいにするゲームをやってみましょう。私たちは、幼い頃から「失敗しても、周りのせいにしてはいけま

せん」と言われ続けてきましたが、その逆をやってみようというゲームです。いつもなら時間通りに起きるBさん。つい寝坊してしまい、会社に遅刻してしまいました。上司からガミガミ怒鳴られて、しょんぼりしています。

そこで皆さんには、Bさんになりきって、気分を変えるため、あえて周りのせいにしてもらいます。例えば、「ま、仕方ないな。昨日、仕事がたくさんありすぎて、疲れが溜まっていたからかな。仕事のせいだ」という感じです。自分が楽になる「ナイス言い訳」を探してみてください。

## 人間は必ず心の満足に向かう

この思考法には批判もありますが、でも、注目したいのは外の力によって作られた形ではなく、そこで子羊さんがどんな心の体験をしたかということなんです。トウェインもこう述べています。「人間は必ず心の満足に向かう」と。何をやってきたかというその形ではなく、どうやってきたのか、どういう満足感があったのかという部分に着目するということです。

子羊さんが「バテて失敗してしまった」と考える試合のなかにも、一つくらい心の満足があったはずです。不可抗力なことを自分のせいにして悩んだり、失敗したと自分を責めるのではなく、自分の興味や喜びを発見した方が次につながると思います。

## 君のための　哲学プラクティス

● 自分を責めないための例題 ●

あなたは、夏のサッカーの大会で、直前練習をしすぎたのがたたり、バテてしまい、途中で交代し、試合に負けてしまいました。

「負けたのは自分のせいだ」と自分を責めてクヨクヨしています。

ここで、あえて外部環境のせいにしてみましょう。そして自分が得た喜びに目を向けてみよう。

● ある一つの答え ●

「まぁ仕方ないな〜。練習でバテてしまったのは、地球温暖化で夏が暑すぎたせいだ。それに、負けてしまったのは、相手が強すぎたせいだ。でも、全力で練習した時間は充実していたし、おかげでシュートがうまくなった」。

まじめな性格だと、ついなんでも自分のせいにしてしまいがちですよね。そんなときは、思い切って外部環境のせいにして、さらに「心の満足」に注目してみよう。

### 君のためのワーク

失敗をしてクヨクヨした経験を思い出してください。そのとき、外部環境はどうでした？　天候やハプニング、突然現れてしまった強敵など、どんどんそのせいにしてみよう。

また、「失敗から何が得られたのか？」「自分は○○をゲットできたからOK！」と満足できた点も意識してみよう。

部活動や勉強のお悩み⑤

# 部活の先輩に嫌われるのが怖い。

入部先の上下関係が厳しく、
いじわるをされるのではないかと悩んでしまいます。
先輩にビビらないためには、どうしたらよいでしょうか。

お答えします！

# 先輩恐怖症を軽減するための哲学

迷える君にお役立ち

私にも昔、怖い先輩がいたので、子羊さんの気持ちはとてもよく分かりますよ。子羊さんや私のように、先輩に対して恐怖心を抱いて、苦悩している人は割と多いのではないでしょうか。

そこで、先輩に対して極度に心配し、悩む子羊さんには、苦悩について考えた哲学者を紹介したいと思います。オーストリア出身の思想家フランクルです。

フランクルの思想を要約するとこんな感じになります。「人間はみなホモ・パティエンスなのです。だから人に対して過度に恐れる必要はありません」。

聞きなれない言葉が出てきましたね。ホモ・パティエンスのホモは人間を示します。パティエンスは苦悩のことです。つまり、ホモ・パティエンスとは「人間は苦悩する存在である」ということです。

オーストリアのユダヤ人家庭に生まれたフランクルは第二次世界大戦下で、ナチスによる強制収容所での生活を体験しました。過酷な環境下で深く考えぬいた末に、悩み苦しむことこそ、人間が人間たるゆえんだと唱えたのです。

さらにフランクルは、この人間の苦悩する性質を能力でさえあると言います。つまり、私たちが抱える否定的な感情を、自分の内側で内面的に保持する能力だということです。それができない人は、否定的な感情をすぐに表に出してしまいます。だから突然キレたりするわけです。

これに対して苦悩することのできる人は、相手の気持ちも考えて、慎重に対処することができるのです。

では、もう少し詳しく解説しましょう。

恐怖心を
抱かないように
したい。

人間はみな
ホモ・パティエンス
なのです。

だから人に対して
過度に恐れる
必要はありません。

恐怖心の
お悩み
プロフェッショナル

## ヴィクトール・フランクル（1905-1997）

ウィーン大学で精神医学を学びました。ナチスの強制収容所における自らの体験をつづった『夜と霧』は、1956 年初版刊行以来、多くの人々に読み継がれています。

## 先輩を怖がらなくていい理由

フランクルが考える「苦悩」とは、一体どんなものでしょう？　それを理解するために、ちょっと変わったババ抜きを体感してもらいます。

### 実は先輩の苦悩が見えていないだけ

通常のババ抜きでは、スペード、ハート、ダイヤ、クラブの各一三枚のカードとジョーカーを一枚用意しますが、ここではプレイヤーに内緒で、ジョーカーを何枚か用意します。

そして、プレイヤーそれぞれに、ジョーカー一枚と何枚かのカードを配ります。通常のババ抜きでは、ジョーカーは一枚だけですので、プレイヤー自身は自分だけがジョーカーを持っていると思い込み、不安に陥りますよね。

でも、プレイヤーは「自分がジョーカーを持っている」ことを、ほかのプレイヤーに悟られないように、またほかのプレイヤーに自分の手持ちのジョーカーを引いてもらうために、目線や表情、しぐさに留意し、自然な振る舞いをしようと努めます。

そこで、このジョーカーを苦悩に置き換えてみると、どんな人でも実は見えていな

いだけで、苦悩を抱えて生きていることが分かります。つまり、子羊さんが極度に恐れる先輩も、何かに苦悩するひとりの人間なのです。

日ごろから、人はみな何かに悩んでいるのだと思うことができれば、先輩恐怖症も少し軽減されるのではないかと思います。

## ガキ大将にも、マウント女子にもある苦悩

子羊さんの場合、先輩恐怖症になってしまった原因は過去にあるのかもしれません。そこで、子羊さんがつらい記憶を打破できるように、少しイメージトレーニングしていただきましょう。

ここにイラストが二枚あります。イラストの人物を見て、その人の苦悩を想像してみて下さい。

一枚目は、目も合わせるのも怖い乱暴なガキ大将です。どんな苦悩が想像できますか？ 外見はとても力強そうに見えるガキ大将ですが、こういう人物に限って、実は内心ビクビクしていて、何らかの苦悩を抱えているかもしれませんよ。

二枚目は、事あるごとに自慢するマウント女子です。「私、スピルバーグと飲み友なの」みたいな。なぜこんなことを言うのでしょう？ もしかしたら彼女は、自分に自信がないという苦悩ゆえに、こういうことを言いだしてしまうのかもしれませんよ。

俺はお前になんか
負けねぇ！
芸能界で活躍する
友だちも
いっぱいいるわ

## 君のための 哲学プラクティス

● 先輩にビビらないための例題 ●

次のイラストとセリフを見て、先輩の気持ちを想像してみよう。コツは相手の苦悩に着目することです。

何回言ったら分かるの？
練習不足なんじゃない？
こんなことじゃ
優勝できないよ。

● ある一つの答え ●

先輩は「優勝できなかったら、自分のせいだ」と思っている。

先輩も責任感の強さゆえ、言葉がきつくなってしまったのかもしれませんね。相手の苦悩に目を向ければ、自分だけが辛いとは思わなくなりますよ。

### 君のためのワーク

キツいことを言われたら、「相手はなぜそんなことを言ったのか？」と考えて、相手が「苦しんでいること」を想像してみよう。

イラスト　つじみ PIXTA

# 第Ⅲ章　生き方のお悩み

生き方のお悩み①

# 将来の夢が見つからない。

友だちやクラスメイトは将来の夢があるようですが、
自分には特にやりたいことがありません。
自分の夢を見つけるには、どうしたらいいですか。

お答えします！

# 本来持つ素質を発揮するための哲学

迷える君にお役立ち

子羊さんのお悩みにピッタリの日本の哲学者を紹介したいと思います。西田幾多郎です。

西田は、人が本来持つ素質、そしてそれを発揮するためには物事にどう向き合えばいいのかということについて論じています。要約するとこんな感じです。「自分探しをする必要はありません。自分が本当にやりたいことは純粋経験を大切にすればおのずと見えてきます」。

純粋経験は、西田哲学の根幹をなす概念です。わかりやすくいうと、赤ちゃんみたいに、先入観の無い状態で物事を捉えることだと言っていいでしょう。大人が「赤ちゃんみたいに」というのは一見難しそうですが、決してそんなことはありません。

ここで一つ、思考実験をしましょう。今私が子羊さんに写真のような気持ち悪いオブジェをプレゼントしたとします。どうですか？　普通は「気持ち悪い」「いらない」と思いますよね。でも、実はこのオブジェ、今注目の現代アートで、三〇万円もする美術品なのです。だから、インスタグラムにアップしたら、絶対注目されます。あれ？　子羊さん、三〇万円と聞いた途端、すごく良いものに見えてきました？　え、欲しくなってきた？　子羊さんは正直ですね、コロッと態度が変わりました。

では、私も正直になりましょう。実はいま三〇万円とお伝えしましたが、嘘です。このオブジェは、原価三〇〇円のなんちゃってアートです。

いや、怒らないでください！　これは純粋経験を理解してもらうための思考実験なのです。

では、もう少し詳しく解説しましょう。

## 将来何をやってみたいのか分からない。

自分探しをする必要はありません。
自分が本当にやりたいことは純粋経験を大切にすればおのずと見えてきます。

**西田幾多郎**（にしだ・きたろう）（1870-1945）

京都学派を創設したと言われる西田の主著は『善の研究』です。同書のなかで、「疑うにも疑いようのない直接の知識」とは何かを追求しました。その答えが、純粋経験だったのです。

## 純粋経験が人生を変える

最初は「気持ち悪い」「いらない」と思ったオブジェのプレゼントでしたが、三〇万円と聞いたら急に欲しくなってしまった。なぜ、こうした態度の変化が起こったのでしょうか？

### 他の人の意見に惑わされない

プレゼントに対する最初の気持ちは、何も情報を持たずに見た瞬間の、あの「気持ち悪い」「いらない」という感覚でした。

ところが、プレゼントの価値は三〇万円だという、他人の評価軸による情報を聞いてしまったことで、「いいものなんじゃないか」という先入観が生じてしまいました。

本当の自分はどう思っているのかよりも、他の人の意見に惑わされてしまったわけです。だから、急に欲しくなってしまったんですね。

さて、いったいどっちが本当の自分の感覚なのか？　答えは、何も知らずに物事に出会った瞬間の体験、つまり純粋経験から感じたほうです。なぜなら、「いいものなんじゃないか」と感じたのは、他人の影響ですから。

こんなふうに考えてみると、「気持ち悪い」「いらない」と思った自分のセンス、つまり自分ならではの良さを、先入観によって失ってしまうのは、よくないですよね。

## 心からやりたいと感じることを続けよう

子羊さんは今まで、たまたま出会ったものが気に入ったり、また影響を受けたりして、その後の人生が大きく変わったという経験はありませんか？　実は、純粋経験を生かして行動をしたことがこれまでもあったと思うのです。

そうした経験のおかげで、いまの子羊さんがあるのです。意識はしていなくても、純粋経験によって自らここまで道を切り開いてきたということです。

だから、普段の生活のなかで、心からやりたいと感じることを続けていけば、自分探しなどする必要はありません。いまはまだ将来の夢が見つからなくても、焦る必要などないのです。無理に、自分のやりたいことや向いていることを探そうとしたり、好きなことを見つけようとするのではなく、赤ちゃんに戻ったつもりで、何の先入観も持たず、ものごとに出会った瞬間の体験に向き合ってみてください。きっと本当の自分に出会えるはずです。

子羊さんが本来持つ素質を発揮できるように、これからも純粋経験から得た感情を大切にしていただきたいと思います。

**純粋経験**

先入観のない状態で、
物事を捉えること。

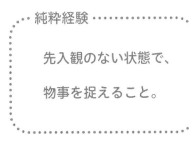

## 君のための 哲学プラクティス

● 自分の夢をみつけるための例題 ●

夢を見つけるために、どっちを選ぶ？

A
自分の大切なファンの心に
熱いメッセージを届ける
路上ミュージシャン

B
年収１億円の
周りから尊敬されている
カリスマ社長

● ある一つの答え ●

どちらも正解。

どちらに惹かれるか、純粋な気持ちに従って選べば、自分の夢が見つけられます。

周りの目や、知識に基づく判断に惑わされることなく、純粋に感じたものを信じることが、夢を見つける近道ですよ。

### 君のためのワーク

あなたの純粋経験はなんですか？
赤ちゃんみたいに世界を見て、感動したことを思い出してみよう。
そこに将来の夢を見つけるヒントがあります。

イラスト　Nataliia Nesterenko

生き方のお悩み②

# 人の目が気になってしまう。

生徒会選挙への立候補を考えているのですが、大勢の人の前に出ると緊張してしまい、普段の自分の良さを発揮できません。思い切って行動するためには、どうしたらいいですか。

お答えします！

# 自分をさらけ出すための哲学

## 迷える君にお役立ち

緊張してしまって、人の目を気にしてしまう。萎縮して、やりたいことが自由に出来なくなってしまう……。多くの方が「わかる、わかる」と共感するお悩みだと思います。

これは、ある哲学者の逆説的な考え方を参考にしたら、解決するかもしれません。その哲学者とは、一五世紀から一六世紀にかけて活躍したエラスムスです。

エラスムスは、カトリック教会の司祭で、神学者でした。しかし、その超インテリの彼が、なぜか否定されるべき愚かさを讃えた内容の本を書きました。その名も『痴愚《ちぐ》神礼讃』です。

エラスムスは、このように考えました。「人間は知性を磨くことで進歩してきたはずなのに、なぜ宗教家は堕落し、戦争のような愚かな行為が絶えないのか」と。

そこで「痴愚の女神」というキャラクターを生み出し、その女神に「人は愚かである方が幸せなのだ」「愚か者でいっぱいの世の中って素晴らしい」などと語らせることで、人間の社会を皮肉ってみせたのです。

そんな『痴愚神礼讃』の主張を要約するとこんな感じになります。「マジメすぎることで臆病になるぐらいなら、時には愚かになることで突破しましょう」。つまりエラスムスは、「真の思慮深さは賢人ではなく、愚者にこそ備わっている」と考えたのです。

いやぁ、逆説的で面白いですよね。

でも、いったいなぜ愚かな方が思慮深いのか。その方がうまくいくのか？

では、もう少し詳しく解説しましょう。

## 自分の良さを発揮するには?

マジメすぎることで
臆病になるぐらいなら、時には
愚かになることで突破しましょう。

人の目が気になる
お悩み
プロフェッショナル

### デジデリウス・エラスムス（1466-1536）

ネーデルラント（現オランダ）出身。ルネサンス期の人文主義者。宗教改革にも大きな影響を与えました。1511年に公刊された『痴愚神礼讃』は、当時ベストセラーになりました。

## 戦略的に愚かになってみよう

多くの人々は、「思慮深くないといろんなことに失敗してしまう」と思うはずですが、エラスムスは「真の思慮深さは賢人ではなく、愚者にこそ備わっている」と考えました。そして、彼は、賢い人が物事を知る、つまり自分にとってハードルの高い行為をするうえで大きな障害になる要素として、「恥じらい」と「懸念」を挙げました。

例えば、Aさんが生徒会選挙への立候補を考えたとき、「選挙活動って大勢の人の前で話すし、恥ずかしいな」と気後れしてしまう、これが「恥じらい」です。また「落選したらどうしよう」という「懸念」にとらわれると、結局、実行に移せなくなってしまいます。一方、アバウトな性格のBさんは、「恥じらい」や「懸念」に囚われることなく、考えた計画をすぐ実行に移したとします。

その結果、Bさんが目的を達成できたのなら、「愚かな人の方が『思慮深い』と言えるのでは？」とエラスムスは考えたのです。

### 真の思慮深さとは

もちろん、むこうみずな行動が常に正しいとは限りません。でも、今までの人生を振り返ってみると、「あえてちょっと愚かなふりをして、挑戦してみた」なんて経験はありませんか？

たとえば、お笑い芸人さんのあいだでも、「番組に迷惑をかけちゃだめだと思い過ぎて、ボケない芸人がいる。でも、ボケないでいるよりも、前に出て、ボケて、すべった方がいい」という説があるようです。

また、ただ「わ〜」っと騒いでいるだけに見える友だちが、実はクラスの仲間を盛り上げようとして、わざと行動してくれていたりするケースもありますよね。

つまり、戦略的に愚かになることで人気者になったり、人から笑われたりすることで目的を達成できるのであれば、それは本当に愚かなわけではないのです。それが、真の思慮深さです。

## 愚かなふりをして、勇気を出してみよう

「愚かさ」という表現が誤解を招くのですが、本当はこれは「さらけ出す」という意味なのです。だから、愚かさを戦略的に使えるようになってもらえたらと思います。

愚かさを導くためのトレーニングとして、大喜利をするのもいいかもしれません。お題は「こんな生徒会長はいやだ」などどうでしょう。きっと楽しいと思いますよ。愚かなことをすることは、必ずしも嫌なことではないのです。

君のための 哲学プラクティス

● 思い切って行動するための例題 ●

あなたは街で、道に迷っている外国人観光客に出会いました。「英語は好きだけど、いざ話しかけるとなると勇気が出ない。でも、助けたい」。

このとき、心の中で自分にどんなことを言って、勇気を出しますか？

● ある一つの答え ●

まず、心のなかでこう唱える。

「どう思われるかなんて気にしない！　だって自分はバカだもーん！思い切って話しかけてみよう」。

そのうえで……

“Excuse me. Need some help?”

羞恥心やためらいを取り払うことができて、気が楽になって、勇気が出てきませんか？　愚かなふりをすることができるのは、実は「賢さ」なんですよ。

## 君のためのワーク

本当はやりたいのに、勇気がでないことはありませんか？

そんなときは、心の中でおまじない「〇〇〇なんて気にしない。だって、わたしバカだもん！」とつぶやいて、思い切って行動しよう。

生き方のお悩み③

# 物事に熱狂できない。

クラスメイトはスポーツやアイドル、お笑いに夢中になっていますが、羨ましいと思う反面、意味がないようにも感じてしまいます。どうすれば熱中できるものを見つけられるでしょうか。

お答えします！

# 自分だけの価値を生み出すための哲学

迷える君にお役立ち

「どうしたら熱狂できるか」ということはもちろんですが、一見意味がなさそうなものに熱狂することにいったいどんな価値があるのか、子羊さんにお伝え出来ればと思います。

子羊さんには、現役バリバリの、勢いのある哲学者を紹介します。ハンガリー出身の哲学者ベンス・ナナイです。彼は一九七四年生まれですから、私よりも年下の哲学者です。

では、彼の考えを紹介しましょう。ナナイの哲学を要約するとこんな感じです。「熱狂できないものなどありません。分散的な注意を払えば、何事も興味へと変わります」。

美学が専門のナナイは、美術鑑賞に大事なこととして、この「分散的な注意」を挙げました。

例えば『青い帽子の男』という絵をご存じでしょうか？　タイトルの通り、青い帽子をかぶった男が暗い背景の中で描かれているだけの肖像画です。

この絵、普通に見れば、青い帽子をかぶった男性という印象だけで終わってしまいますよね？　それは「集中した注意」を向けているにすぎないからです。でも、「分散的な注意」によって、中心に描かれたものだけでなく周囲にも目を向けると、「この服の生地は何？」「一見暗い部屋にも陰影があるな」「この人物はうつろな目をしている」などと印象が大きく変わってきます。つまり、分散的な注意によって、その絵に自分だけの価値が生まれるのです。

そうして、がぜん興味が湧いてくる。ほら、もう熱狂し始めているのでは？

では、もう少し詳しく解説しましょう。

## 熱狂できるものを見つけられない。

熱狂できないものなどありません。
分散的な注意を払えば、
何事も興味へと変わります。

**ベンス・ナナイ** (1974-)

ナナイは芸術を研究テーマにしており、真の美的経験とは何かについて論じています。「どうせこんなもんだろう」という決めつけが、世界をつまらないものにしてしまっているのです。

## 意味のないことなどないと気づく大切さ

熱狂というのは、分散的な注意を向けることで、自分からそこにどんどん意味を見出していくということです。

それができるようになるとどうなるか？　ナナイはこんなすごいことを言っています。「世界が別様に見えてくる」と。これが、一見意味がなさそうなものに熱狂するということの最大の意義なんです。

ここでは、分散的な注意を向けることによって、どれだけ物事に熱狂できるのかを体験してもらいましょう。

### 周囲に目を向けてみよう

まず、一見無駄なことをやっている人を描いたこんなイラストを見てください。「まずい！　韓国ドラマを見すぎて、朝になっちゃった！　原稿の締切が、今日なのに！」（私の実話です）。ここから想像できる、意味のある行為を分散的な注意で見つけてみましょう。

例えば、「夜中に起きていたことで、隣の家の火事に気がつき、隣人を助けること

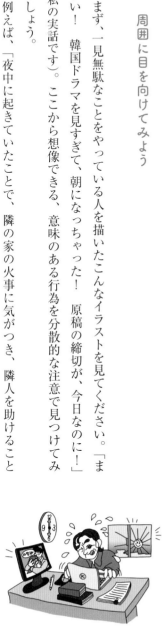

ができた」。あるいは、「朝まで家に明かりがついていたことで、防犯に役立った」ということもありえますね。

確かに、イラストの中心に描かれたものだけを眺めても、単に「困っている人がいる」という理解に留まるでしょう。でも、旅行好きな人が分散的な注意を向けた場合、「この人物は、素敵なロケ地を知って、実際に行ったに違いない。そして、自然の豊さかにふれ、景観保護の重要性を知ったかもしれない」という展開を考え、このイラストに自分だけの価値を見出すかもしれません。

また、演劇に興味がある人だったら、「この人物は、ドラマの脚本家の別の作品を見て、また新しい物語の構成を勉強したのではないか」と思うかもしれません。

分散的な注意でイラストを見たこの二人には、もうこれは「困っている人がいるイラスト」ではなく、まったく別の作品に見えているのです。どうですか？　このイラストに興味が湧いてきませんか？

## まったく見方を変える

きっと子羊さんならではの「分散的な注意」の向け方があると思います。そのことにまだ気づいてないだけです。逆にいうと、そのことに気づきさえすれば、自分だけの価値が見つかり、世界が別様に見えてくるに違いありません。

## 君のための　哲学プラクティス

**● 熱狂できるものを見つけるための例題 ●**

パッと見ただけだと、「男の人がリンゴをかじっている絵」ですよね。でも、分散的な注意で見てください。何に気づきましたか？　自分なりの面白さを見つけて、お笑い芸人を真似て“つっこみ”を入れてみよう。

**● ある一つの答え ●**

「窓から子供がのぞいてんの、なんでやねん！」

「あぁ、リンゴをかじっている男の人の絵か」と思ったら、興味はわかないかもしれません。でも、“つっこみ”を入れてみると、自分だけの発見や自分だけの価値が生まれてくるはずです。そうすると、この絵が自分だけの大切なものに思えてきませんか？

### 君のためのワーク

**興味を持つことが難しそうなものでも、自分の視点で面白さを見つけて、“つっこみ”を入れてみよう。そこに熱狂できるきっかけがあるはず。**

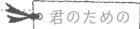

生き方のお悩み④

# 失敗を繰り返して、クヨクヨしてしまう。

成功している友だちがうらやましいです。
その友だちは失敗から学んで、それを生かしています。
でも私は、その都度、反省するのですが、
また同じ失敗を繰り返して、落ち込んでしまいます。
失敗して、クヨクヨしないためには、どうしたらいいでしょうか。

お答えします！

# 「失敗しても、てへぺろ！」するための哲学

## 迷える君にお役立ち

子羊さんに紹介する哲学者は、二〇世紀前半の日本で活躍した三木清です。

三木の失敗をめぐる主張を要約するとこんな感じになります。「そもそも失敗は否定すべきことではありません。だから学ぶ必要などないのです。失敗とは人生という冒険の一過程にすぎません」。ここまでいうと、さすがに「そんなことないよ」という反応がありそうですね。どういうことか説明していきましょう。

皆さんも「失敗は成功のもと」という言葉を聞いたことがあると思います。人がよくこの言葉を使うのは、「失敗というのは成功を導くためのプロセス」だと思い込んでいるからです。

こんなふうに、「成功は人生の目標」と思われていますが、三木に言わせるとそれは近代以降の進歩史観の産物なのです。

例えば古代の人々はそんなふうには考えていませんでした。古代人の人生の目標は何か？　それは成功ではなく、幸福です。

腹立つ失敗、泣いちゃう失敗。失敗にもいろいろありますよね。でも、それによって、人生は彩り鮮やかなものとなるのです。成功ばかりの人生より、よっぽど豊かなものだと思いませんか？

さらに三木はこうもいっています。「近代の成功主義者は型としては明瞭であるが個性ではない」と。失敗を気にして、そこから学ぼうなどといっているようでは個性はなくなってしまいます。気にせずどんどん失敗しましょう。それが人間である証拠なのですから。

では、もう少し詳しく解説しましょう。

## 反省ばかりで、うんざりしたら？

そもそも失敗は否定すべきことではありません。
だから学ぶ必要などないのです。
失敗とは人生という冒険の一過程にすぎません。

失敗の
お悩み
プロフェッショナル

**三木清**（1897-1945）

死別、挫折、戦争という自分の力ではどうにもできないものに翻弄されながら、虚無のなかであがいた哲学者です。最後は残念なことに、獄中で48年の短い人生を閉じました。

## 自分の「苦手」を愛してみよう

三木清の考える成功と失敗について、もう少し詳しく解説したいと思います。現代人の多くは、失敗があれば、そこから学習し、その結果、成功に辿り着くべきだと考えています。

一方、大昔の人が考えていた成功や失敗のイメージは、例えるとこんな感じです。人生という成功・失敗のどちらも混ざった巨大な円が、幸福に向かってゴロゴロ転がりながら冒険を続けている。

人生の目標が「成功」の人は、失敗すると成功が遠ざかった気がしてクヨクヨ悔やんでしまいますが、人生の目標が「幸福」の人は、失敗は人生の体験のひとつに過ぎないので、自分を責めたりはしないのです。

こんなふうに理解すると、人生のイメージや失敗のイメージが、少し変わってくるのではないでしょうか。

### 成功ばかりの人生は、良い人生？

人生は成功だけではなく、失敗によっても彩られます。成功ばかりの人は、人間ではなく、あたかもＡＩや機械のように感じられます。「あたたかみがあって、人間らしい。あの人、素敵だな。愛したいな」と思われる人は、いろんな失敗をしている人です。つまり、個性ある人なのです。

個性をなくしてしまって、「失敗から学んで、成功しましょう」という生き方をしてしまったら、いったいどんな人生になってしまうのか。きっとみんな同じ機械のような存在になってしまうのではないでしょうか。たしかに間違いは犯さないかもしれないけれど、なんだかつまらない人生に思えてきませんか？

三木にいわせると、近代化とはそんな没個性化、あるいは人間が機械化していく過程にほかならないのです。

## 苦手を個性に

人間は誰しも、苦手なことがあります。スポーツ万能な先輩も、勉強ができる友だちも、苦手なことが必ずあります。でも、それを個性だと周りに理解してもらえたら、それは決して憎まれることではなく、その人固有の愛される魅力になると思います。

そうするための第一歩が、まず自分が自分の苦手を愛することなのではないでしょうか。苦手を愛したとき、それはその人の個性であり、チャーミングポイントにさえなるのです。

君のための　**哲学プラクティス**

**● 失敗をクヨクヨしないための例題 ●**

成功：テストで 100 点とった。
失敗：忘れものをした。
失敗：友だちと喧嘩をしてしまった。
成功：親友ができた。
失敗：遅刻した。
失敗：部活の試合で負けた。

これらの経験を人生の円の中に書き込んでください。大きな成功や大きな失敗は大きな円として、小さな成功や小さな失敗は小さな円として描いてみよう。また、その時の成功や失敗に自分なりの色をつけてみよう。

**● ある一つの答え ●**

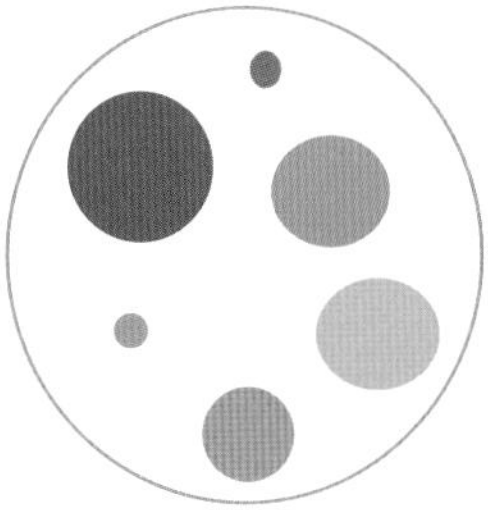

人生の円

これを、じっと眺めてみましょう。なんだか人生がカラフルに彩られた豊かなものに見えてきませんか？

## 君のためのワーク

自分の成功や失敗を人生の円の中に描いて、それぞれ色を塗って、眺めてみよう。

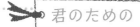

生き方のお悩み⑤

# なんだか、人生がうまくいかない。

高校三年間、レギュラーを目指して部活を頑張りましたが、結局ずっと補欠でした。
毎日、精神的に苦しいです。
憂鬱を力に変えるためには、どうしたらよいでしょうか。

お答えします！

迷える君にお役立ち

# 気持ちが落ち着くのを待つための哲学

子羊さんのお悩みへのアドバイスとして、哲学者ではないのですが、良いことを言っている偉人がいるので紹介します。一九世紀初頭にイギリスで活躍した詩人のジョン・キーツです。人生の苦しい時間をどう過ごすべきかを綴ったキーツの言葉や作品は、哲学の世界でも注目を集めています。キーツの考えを要約するとこんな感じになります。「人生がうまくいかないときは焦らず、留保する力が道を開きます」。

留保する力とは、困難や分からないことに遭遇したときに、急いで答えを出すのではなく、辛いまま、あるいは分からない状態のまま、持ち堪える力のことです。キーツには、こんな詩があります。「おお！　メランコリー（憂鬱、悲哀感）よ。しばしここに止まれ。おお！　ムシカ！　音楽の精よ。失意の調べを奏でよ」。これぞ留保する力です。

メランコリーが消えずに、残ってしまうことは、普通嫌だと思います。でも、辛い現実から目を背けず、むしろその辛い状態を積極的に今は受け入れようという考え方です。例えば、子羊さんがお財布を池に落としてしまったら、普通は「まずい、急いで拾わなきゃ」と焦りますよね。でも、この時、池の中では泥が舞い上がり、水は濁っています。いま慌てて手を突っ込んでも、財布の代わりに、汚いゴミを拾ってしまうということになりかねません。

では、財布を拾うにはどうすればいいと思いますか？　そう、待てばいいのです。時間が経つと水の中はだんだんと澄んできます。そうすれば、簡単に財布を見つけることが出来ますよね。だから、今すぐ闇雲に頑張ればいいという話ではないのです。

もう少し詳しく解説しましょう。

# 毎日、憂鬱です。

人生がうまくいかないときは焦らず、
留保する力が道を開きます。

憂鬱の
お悩み
プロフェッショナル

## ジョン・キーツ（1795-1821）

詩人や作家のとるべき望ましい態度として、「ネガティブ・ケイパビリティ」を唱えました。不確実性を受け止めることで残る可能性のなかに、本当の正解があると言います。

## 人生という謎解きゲームを楽しもう

先ほどは、留保する力が大切と述べましたが、一方で、人間の脳はわからないことをわかろうとする性質がありますし、どうしても答えを急ぎたくなってしまいます。最近では、映画の結末を早く知りたいからと、倍速で観てしまう人もいます。でも、辛い気持ちのまま、ある程度の時間を持ち堪える方が、案外問題解決に近づけることが多いのです。

実は、このことに最初に注目したのは精神医学の医師たちでした。留保する力は、うつ病や不安を感じる人に対するケアにも応用されてきました。

### 留保は怖い、でも楽しく実践

もちろん、辛い状態に留まったままだと、怖いと感じてしまう人も多いと思います。でも、それを楽しく実践するためのヒントがあります。

もともとキーツの「留保する力」は、シェイクスピアの作品から影響を受けたものです。『ハムレット』はスッキリしない終わり方をする物語ですが、シェイクスピアの作品の特徴はある意味、この余韻にあります。余韻があると観客は「え？　どんな

意味があったの？」「これからどうなるの？」などと、観終わってからもあれこれ楽しむことが出来ます。

この分からない部分を考えるという行為、これがまさに、留保の力です。だから留保の力を実践するためには、「人生は不条理な物語。どうなるか分からない」と捉えて、その謎解きを楽しむ気持ちになることが肝心なのです。

## 人生をショート・ストーリーで表現してみよう

それでは、ここで子羊さんの人生について考えてみましょう。シェイクスピアの作品を意識しながら、子羊さんの人生を題材に、「どうしてそうなっちゃうの？　でも、続きが気になる」、そんなショート・ストーリーを考えてみてください。子羊さん自身が客観的にそのショート・ストーリーを聞いたときに、楽しめるといいなと思います。

人生が順当に、あるいは予想通りに進むことは滅多にありません。だからこそ、子羊さんもいまの現状に対して、あがいたり逃げたりせず、留保する力で焦りの気持ちが落ち着くのを待つことがまず大事だと思います。

そうすれば、次第に視界がクリアになってきて、解決のヒントが向こうからやってきます。つまり、解決の糸口を見出すことが出来るようになると思うのです。

余韻とは

わからない部分を

留保する力。

君のための **哲学プラクティス**

● 憂鬱を力に変えるための例題 ●

これまでの人生を三人称の物語にしてみよう。この後の展開がどうなるのか気になるように、結末を「宙ぶらりん」のストーリーにしてみよう。

● ある一つの答え ●

彼女は、高校に入学し、大好きなバスケットに打ち込んできた。
体育館の窓からこぼれる陽の光、一緒に汗を流す仲間たちとの会話――。
練習はいつも楽しくて、親友もできた。
そのすべてが輝いていて、かけがえのない日々だった。
でも、バスケットは上手にならずに、
レギュラーを勝ち取ることが出来なかった。
もうすぐ高校生活が終わってしまう。
いよいよ高校生活が終わるその日、彼女は……

これまでの人生を振り返って落ち込んでしまったとき、客観的に自分を主人公に見立てて、「この先どうなるか分からない」物語にしてみると、未来がワクワクしてきませんか？

## 君のためのワーク

自分のこれまでの人生を、小説家になったつもりで、気取って物語にしてみよう。ラストは、これからどうなるのか、続きが気になるようにしてみよう。

## 『ロッチと子羊』NHK制作班からのメッセージ

# 『ロッチと子羊』が生まれた奇跡（軌跡）とは？

皆さん、この本を手に取っていかがでしたか？　勇気や希望がわきましたか？「哲学って難しい」と感じていたかもしれませんが、実は生きる知恵が詰まっていると思いませんか？　そしてこの番組がなぜ誕生したかをお話しすれば、その意味が少しでも分かると思います。

前身の番組で哲学者の小川仁志さんと知り合った私は、二〇二〇年の年末、翌年度の新しい番組企画提案を求められます。折しもコロナ禍で皆、自由に活動できず、仕事も失う人が多い中で不安や悩みが世界中に蔓延していた時期でした。この悩み多き時代に哲学でそうした不安や悩みを少しでも軽く出来ないかという思いからこの企画が生まれたのです。そして、小川さんと話している内に、「哲学をカジュアルに語れる場があれば、もっと身近に哲学を感じてもらえるのではないか」と感じました。そして、考え方やものの見方をちょっと変えただけで人間は勇気や希望を持てるのではないかと話し合いました。それは小川さんの二〇代の後半から約四年半続いた、辛いひきこもり体験に裏打ちされた真実の言葉でした。深い闇の中で、色んな救いを求めた小川さん。「哲学だけが、こうしろ、ああしろと行動を強制するものでは無く、自分で考えてやってみればいいというスタンスだった。それが自分を救ってくれた」と

いう小川さんの言葉に私は大変感銘を受けたのです。

番組では、そうした小川さんの存在ともう一つ重要な要素が、お笑い芸人・ロッチさんです。企画ではお笑い芸人が、その悩みの当事者の元に足を運び、その人に寄り添う中で、生きるヒントを見つけるということを考えていました。まさにロッチさんはぴったりな存在でした。本人たちもお笑いで食べていけるまで一〇年以上かかったとおっしゃっていますが、そうした人の痛みも分かり、尚且つ「でも自分たちは好きなことをしていたからそんなに辛くなかった」という処世術を持っています。番組でも二人の言動に「はっ」とさせられることがあります。ある意味、コカドさん、中岡さんも哲学者なのです。このようにして、番組は誕生したわけですが、小川さんがモニターから出る演出はコロナ禍で現場が密にならないように編み出されたものであり、そういう意味で言えば、色んな偶然があります。小川さんとの出会い、ロッチさんとの出会い、そして多くの迷える子羊さんとの出会い、スタッフとの出会い。様々な人との奇跡の出会いがこの番組を生み出しました。

本書を手に取った皆さんもある意味、この奇跡に参加していると思います。冒頭に申し上げたように哲学には人を変え、勇気づける知恵が詰まっていると思います。

さぁ、みなさんもこの本から始めましょう、実践しましょう。その事を願っています。自分で自分を変えることが出来るのは「あなた」なのですから。

ＮＨＫメディア総局　プロジェクトセンター　チーフ・プロデューサー　桑田高明

『ロッチと子羊』NHK制作班からのメッセージ
# あとがきにかえて――最後の哲学プラクティス「悩むことは悪いこと?」

みなさん本書を読んでいかがでしたか? 「あれ? なんだか、一般的に言われていることと逆な気がする」と思われたのではないでしょうか。

「親友と良い関係でいるのにはどうしたらよいか」というお悩みに対して、フツーだったら「相手を信じなさい」とか、「本音でぶつかりなさい!」とかアドバイスしますよね。でも本書は「相手を諦めなさい!」と提案しています。

「自分のせいで試合に負けてしまい、自信が持てなくなった」というお悩みに対して、フツーだったら「この失敗を生かして、これからもっと頑張ればいい」とか、アドバイスしますけど、本書では、「人のせいにしちゃいましょう」と提案しています。

もしかしたらこんなふうに思われたかもしれません……「え? 諦めちゃっていいの? 諦めたらダメって先生も親も、あの有名バスケ漫画も言ってるんだけどなあ」「人のせいにするなんてやっぱり良くない! 人のせいだけはするな! って何度もみんなから言われてきたんだけどなあ」。

………「あれ? この本、大丈夫? 間違っているんじゃない?」。

そう思った疑い深~いあなた、いいですよ!(もちろんこの本の内容はあまり疑わないで欲しいですけど)哲学的思考が、身についている証拠です!

実は、「疑う」ことが哲学の本質なんです。

悩みに対して、「疑う」という哲学のエッセンスを使って、自分の力で考える手助けをすることで、少しでも悩みを軽くしてあげたい。それが、番組を作るときのわたしたちの信念であり、その思いを凝縮させたのが、本書です。

読んでくださったみなさんは、「みんなが言っていること」、「正しいとされていることや常識」を「本当にそうなのかな？」と疑うことで、自分が見ていた視点が変わる。そんな哲学の力を体感いただけたのではないでしょうか。

「哲学は、難しい、役に立たない」というういわば常識を疑い「哲学は楽しい。役に立つ」という小川仁志教授の哲学を礎に制作している『ロッチと子羊』。

本書の「君のための哲学プラクティス」は、そんな小川哲学の大事なエッセンスが凝縮したまさに役に立つツールです。

勇気がくじけて一歩が踏み出せないときの「あえて愚かになるプラクティス」。なんだか勇気が出ませんでしたか？

SNSで相手の言葉に傷ついてしまったとき、「エポケー（判断中止）」で気が楽になりませんでしたか？

そして、他人に嫉妬してしまったとき、嫌われるのが怖くて発言できないとき、大きな失敗から立ち直れないとき、夢や熱中できることがどうしても見つからないとき。

本書の「君のための哲学プラクティス」で自分がどんなことを思考したのか、もう一度、思い出してみてください。そこには、自分で考えた答えがあります。その答え

を武器に、これからの人生を歩んでいって欲しいと思います。

ちょっと偉そうになってしまったので、読者の悩める若いみなさんにここで、ひとつ秘密を告白します。『ロッチ子羊』を作っているスタッフはみんな大人ですが、実は、みんなまだまだ「迷える子羊さん」ばかりなんです。

小川仁志教授は、実は泣き虫で、『ロッチと子羊』の収録で子羊さんが泣いてしまった回では先生も泣きはらしています。人生に迷い商社をやめ、フリーターを経て哲学者になった先生ですが、いまも人生に悩むひとりの人間として、悩みに全力で向き合っています。

そして、ロッチさん。フツーのことの見方を変えることでコントによる笑いを生み出す、いわば「常識を疑う哲学者なのでは」と密かにわたしが思っている彼ら。優しく共感する力、常識に縛られない柔軟さなど、その力を引き出しているのは、悩みながら生きてきた芸人としての歩みだと思います。

そして、制作するディレクターやプロデューサーの仲間たち。毎回制作するとき、徹底的に語り合い、自分の弱い部分や悩みを晒しながら、子羊さんたちの悩みに向き合っています。かくいう自分もいまだに人生に迷い悩み続けながら、番組を作っています。実は自分たちも、『ロッチと子羊』を作りながら、励まされているんですよ。

ここで最後の「哲学プラクティス」です。「悩みはないほうが良いのでしょうか？」悩みはないほうが良いに決まってる！　悩みがないほうが幸せだ！　とフツーは思い

ますよね、そこをあえて疑うプラクティスです。

そもそもなぜ人は悩むんでしょうか？　人間関係がうまくいかなかったり、目標や夢を前に挫折をしたりですよね。逆に言えば、悩みがあるということは、それだけ大切にしている人がいたり、譲れない何かがあるからなのかもしれません。そうであるならば、悩みを持つということは、悪いことではないかもしれません。

みなさんが本当につらい思いをして、もしかしたら、すべてが嫌になってしまうことがあるかもしれません。そんなとき『ロッチと子羊』では、「がんばれば報われる」とか、「生きていれば良いこともある」ということはけっして言いません。

つらい原因は、常識や正しさに縛られているからかもしれないし、そもそも、つらいことは本当に悪いことなの？　そんな投げかけをします。

そのことで、もしかしたらこんなふうに思うようになるかもしれません。

つらいからこそ生きる。悩むからこそ生きるのだ。

本書で、ぜひそんな哲学思考を養い、明日を生きる力にしていただければ幸いです。

最後に、本書の出版にあたり、ミネルヴァ書房の杉田啓三社長と水野安奈さんには、大変お世話になりました。記して感謝申し上げます。

NHKエンタープライズ　第一制作センター　シニア・プロデューサー　小沢倫太郎

や 行



ら 行

## た　行



## な　行



## は　行



## ま　行

# 索引

## 欧文



## あ行



## か行



## さ行

『ロッチと子羊』ＮＨＫ制作班

**制作統括**

桑 田 高 明　小沢倫太郎

**プロデューサー**

西 山 恵 子（ノマド）　平 野 嘉 弘（アマゾンラテルナ）

**ディレクター**

| ノ マ ド | アマゾンラテルナ |
| --- | --- |
| 棟 方 大 介 | 小 林 直 紀 |
| 陰 山 竜 彦 | 平 井 正 孝 |
| 萩野菜穂子 | 堀 田 尚 志 |
| 飯 田 宗 城 | 武 田 真 帆 |
| 下 条 寛 子 | 玉那覇卓人 |
| 横藤田　花 | 吉 田 有 志 |
| 藤 井 康 成 | 中 村 博 郎 |
| 郡　 亮 太 | |
| 柴 田 宙 太 | |
| 細 原 亮 太 | |
| 森 山 智 世 | |
| 小 林 俊 博 | |
| 塩 澤 由 子 | |

**編集協力**

ＮＨＫエンタープライズ　兵 藤　 香
服 部 紗 織

---

**協　力**

株式会社ワタナベエンターテインメント

《著者紹介》

小川仁志（おがわ・ひとし）

1970年，京都府生まれ。哲学者・山口大学国際総合科学部教授。京都大学法学部卒業，名古屋市立大学大学院博士後期課程修了。博士（人間文化）。商社マン（伊藤忠商事），フリーター，公務員（名古屋市役所）を経た異色の経歴。徳山工業高等専門学校准教授，米プリンストン大学客員研究員等を経て現職。専門は公共哲学。大学で課題解決のための新しい教育に取り組む傍ら，「哲学カフェ」を主宰するなど，市民のための哲学を実践している。また，テレビをはじめ各種メディアにて哲学の普及にも努め，ＮＨＫ・Ｅテレ「世界の哲学者に人生相談」（2018～2020年）に続き，現在『ロッチと子羊』（2021年～）で指南役を務めている。著書も多く，『中高生のための哲学入門』（ミネルヴァ書房，2022年），『前向きに，あきらめる。』（集英社クリエイティブ，2023年），『55人の哲学者が答える大人の人生相談』（ワニブックス，2023年），『超有名な哲学書50冊を100文字くらいで読む。』（イースト・プレス，2023年）をはじめ，これまでに100冊以上を出版している。YouTube「小川仁志の哲学チャンネル」でも発信中。

『ロッチと子羊』で学ぶ
中高生のための哲学入門
――君のお悩み、哲学プラクティスで解決します。――

2023年12月25日　初版第１刷発行　〈検印省略〉

定価はカバーに
表示しています

著　者　小　川　仁　志
『ロッチと子羊』NHK制作班

発行者　杉　田　啓　三

印刷者　坂　本　喜　杏

発行所　株式会社　ミネルヴァ書房

〒607-8494　京都市山科区日ノ岡堤谷町１
電話代表　(075)581-5191
振替口座　01020-0-8076



冨山房インターナショナル・坂井製本

ISBN 978-4-623-09711-1
Printed in Japan